NO CERES 13

Un conte de fées céleste

Yuu Watase

AYASHI NO CERES

13

AYA MIKAGÉ
ELLE S'EST DÉCIDÉE À SE BATTRE CONTRE SON DESTIN, À RETROUVER LA ROBE DE PLUMES ET À RENVOYER CÉRÈS CHEZ ELLE.

SUMÉ :

MIKAGÉ, JEUNE LYCÉENNE APPAREMMENT NORMALE, EST LA DESCEN-TE D'UNE NYMPHE CÉLESTE. UN JOUR, SA PROPRE FAMILLE, LES MIKAGÉ, RENANT QUE AYA PORTE EN ELLE LES GÊNES DE LA NYMPHE, MONTE UN PLAN OUR L'ASSASSINER. ACCULÉE FACE À LA MORT, AYA EN PERD SA PERSONNALITÉ ET E CHANGE EN CETTE FAMEUSE NYMPHE, CÉRÈS. CELLE-CI DÉCLARE À AKI, LE RÈRE JUMEAU DE AYA, QU'IL EST CELUI QUI LUI A VOLÉ SA ROBE DE PLUMES !
AGAMI MIKAGÉ QUANT À LUI, MET EN PLACE LE " PROJET C ". SON PLAN CONSISTE METTRE EN ÉVIDENCE LES GENS PORTEURS DU " GÊNOME C " , CELUI DES YMPHES ET À LES RASSEMBLER POUR S'EN SERVIR. MAIS TOYA, L'HOMME DE MAIN ES MIKAGÉ, FINIT PAR S'ÉLOIGNER DE KAGAMI ET DES MIKAGÉ POUR REVENIR UPRÈS DE AYA.
EU APRÈS, L'ANCÊTRE DES MIKAGÉ RENAÎT DANS LE CORPS DE AKI ET LE " PRO-ET C " EST REMIS EN ROUTE !!
AGAMI ET SES COLLABORATEURS DÉCOUVRENT QUE LE VESTIGE DE LA ROBE DE LUMES QU'ILS POSSÈDENT RÉAGIT AU POUVOIR D'UNE NYMPHE. SERAIT-CE LÀ UN OYEN DE RECONSTITUER UNE ROBE DE PLUMES ? MAIS IL FAUDRAIT UN PUISSANT OUVOIR POUR CELA... KAGAMI FAIT DONC ENLEVER CHIDORI PAR SES HOMMES !

ISBN SÉRIE 2-84580-0487 / ISBN VOL. 2-84580-198-x
ISBN ÉD.ORIGINALE 4-09-137646-0

YUHI AOGIRI
SUZUMI LUI A ORDONNÉ DE VEILLER SUR AYA, IL LUI A DÉCLARÉ SON AMOUR MAIS ... !?
AKI MIKAGÉ
LE FRÈRE JUMEAU DE AYA, IL EST LA RÉINCARNATION DE L'HOMME QUI FORÇA JADIS CÉRÈS À DEVENIR SON ÉPOUSE !!

TOYA
IL A PERDU LA MÉMOIRE. IL S'EST LIBÉRÉ DE L'EMPRISE DE KAGAMI ET RESSENT DE L'AMOUR POUR AYA...

TOYA ET YUHI APPRENNENT LA MAUVAI-SE NOUVELLE ET PARTENT AU SECOURS DE LEUR AMIE À L'INSU DE AYA, QUI, ALITÉE, APPRENDRA PLUS TARD QU'ELLE ATTEND UN ENFANT DE TOYA. LE COMBAT EST RUDE, CHIDORI PERD LA VIE ET AKI EXÉCUTE TOYA !!!
APPRENANT CELA, AYA DÉCIDE D'ALLER AFFRONTER KAGAMI ET SE REND AU LABORATOIRE...
D – TOYA : IL A PERDU LA MÉMOIRE. IL S'EST LIBÉRÉ DE L'EMPRISE DE KAGAMI ET RESSENT DE L'AMOUR POUR AYA...

CÉRÈS, TOI TU NOUS ES PRÉCIEUSE !
D'AILLEURS NOUS SOMMES LÀ POUR ASSURER TA PROTECTION !
... OÙ EST LA "ROBE DE PLUMES" ?
FUUH
ELLE EST EN COURS DE FINITION... NE TE L'AVAIS-JE PAS DÉJÀ DIT ? MAIS LAISSONS ÇA POUR LE MOMENT, J'AI MOI AUSSI UNE QUESTION À TE POSER ...

VENEZ-VOUS D'UNE AUTRE PLANÈTE ? OU BIEN D'UN TOUT AUTRE ENDROIT ?
......
CE QUI VEUT DIRE QUE CETTE ROBE RENFERME UNE AUTRE SIGNIFICATION ...
AU JAPON, ON ATTRIBUE LA "ROBE DE PLUMES" AUX "NYMPHES" MAIS CE N'EST PAS LE CAS DANS LES PAYS ÉTRANGERS...
EN POLOGNE ON PARLE D'UN "VÊTEMENT BLANC"
EN ÉCOSSE C'EST UNE "PEAU DE PANTHÈRE"
ET EN CHINE, UNE "FOURRURE"
LES ROBES DE PLUMES SONT VITALES POUR LES NYMPHES... SELON LES LÉGENDES, ELLES EN ONT BESOIN AFIN DE S'ENVOLER VERS LES CIEUX ...
CEPENDANT, POUR CE QUI EST DE VOLER, LEUR POUVOIR LEUR SUFFIT ...
ON RETROUVE AINSI CHACUNE DE CES JEUNES FEMMES SOUS UN ASPECT DIFFÉRENT TANTÔT ELLES SERONT CYGNES, SIRÈNES, LOUVES OU CHATS BLANCS ...

À SHIZUOKA ET À TANGO, DES ÊTRES HUMAINS AYANT TENTÉ DE PORTER UNE ROBE DE PLUMES SE SONT MÉTAMORPHOSÉS EN IGNOBLES MONSTRES...
"LES NYMPHES DE NIIGATA ONT SUCCOMBÉ... ELLES SE SERAIENT LIBÉ-RÉES EN SE TRANSFORMANT EN POISSON" ...
CETTE CHOSE QUE L'ON APPELLE "ROBE DE PLUMES" ...
N'EST NI PLUS NI MOINS QU'UN ÉLÉMENT SERVANT À CONSTITUER DES GÈNES INSTANTANÉMENT, UN SYSTÈME QUI PERMET LA TRANSFORMATION CELLULAIRE ...

C'EST POURQUOI VOUS POUVEZ VOUS TRANSFORMER... LA "SUBSTANCE INCONNUE" QUI AIDE À LA RECONSTITUTION DE LA ROBE DE PLUMES PERMET D'EXTÉRIORISER UN POUVOIR EXTRÊMEMENT PUISSANT ...
PARCE QUE LE CORPS D'UNE NYMPHE RENFERME EN LUI CETTE MÊME SUBSTANCE !!
... OÙ EST LA ROBE DE PLUMES ?

LES BLA-BLAS DE YUU WATASE

Salut, salut salut x100 ! C'est Watase. Me revoilà ! Nous abordons, dans le volume 13, un passage de l'histoire plus qu'intéressant !! ... Ouf, le chemin a été long hein ?! (rires) Restez encore un peu avec moi, il n'y en a plus pour longtemps, c'est promis. Le contenu devient légèrement compliqué (vous allez rencontrer beaucoup de termes biologiques) cependant, je pense que vous êtes déjà bien rodés. Mille pardons. Des personnes que je connais m'ont dit que cette BD était destinée à de "jeunes garçons". Mais il est important de signaler que je m'étais mise dans la tête d'écrire cette histoire sur une base de BD pour filles, là est son point fort... Toutefois, l'histoire en elle-même n'était pas obligée de suivre fidèlement cette base et ça se voit ! (rires) Un jour, un certain éditeur m'a fait la remarque suivante : "Maître Watase, vous avez des lecteurs qui en ont dans la tête" (en fait, il parlait aussi pour les jeunes capables de raisonner comme des adultes)...et puisque vous avez pu me suivre jusque-là sans anicroche, je ne me fais plus de souci pour la suite (rires) !! (ouh laa ! du calme...) Je suis toujours épatée de savoir qu'il y a aussi des enfants de primaire qui arrivent à suivre cette histoire... Bon, concernant l'illustration de la jaquette, j'étais ravie de pouvoir la réaliser car je l'avais en tête depuis un bon moment et tout en dessinant les "ailes" je me suis souvenue que j'avais enfin attaqué le jeu "Final Fantasy VIII" (rires) !!

Depuis le temps que je l'ai acheté, je n'y ai pas touché depuis six mois, mais à force d'entendre mes assistantes et les lecteurs me dire que Squall et Rinoa ressemblaient à Toya et Aya, eh bien, je me suis dit "jouons-y" ! J'ai donc nommé Squall "Toya" et Rinoa "Aya", c'était inévitable ! En tout cas, je m'éclate bien avec !! (rires). Tout de suite la suite, le temps de changer de stylo... ;

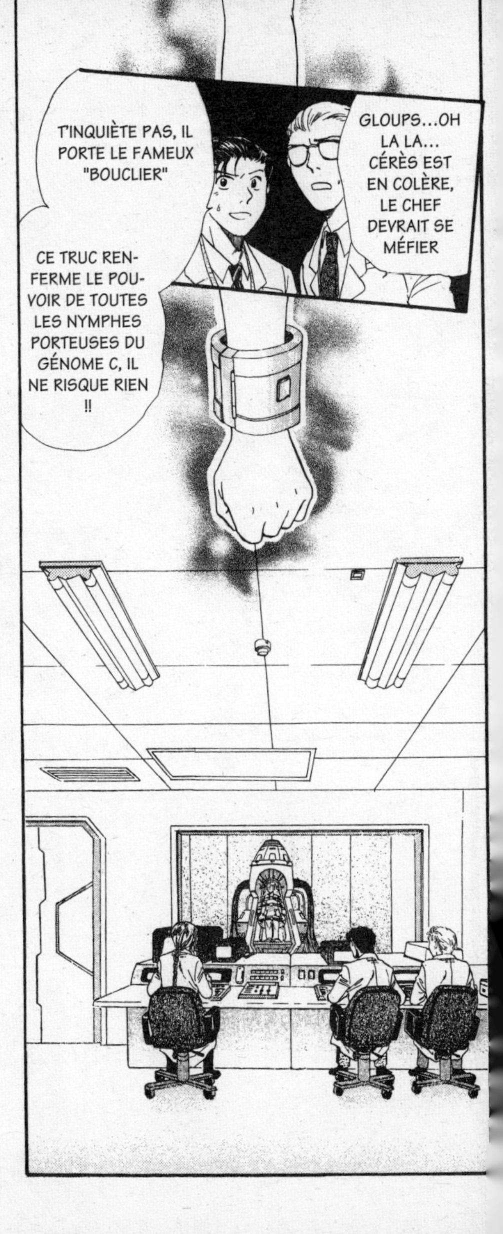

OUGH
...
......
...
JE VOULAIS SEULEMENT PERCER LE MYSTÈRE DE LA LÉGENDE... LE CHEF M'AVAIT DIT QUE TOUT CELA SERAIT PROFITABLE À L'HUMANITÉ...
P'TIT COUP D'OEIL
IL LE FIXE
REVENEZ AKI... J'AI PAS MAL DE CHOSES À VOUS DEMANDER... AIDEZ-MOI À TROUVER LA SOLUTION À MES TOURMENTS...!
... VOUS POURRIEZ ME REGARDER MOINS MÉCHAM-MENT NON ?
VOUS NE VOYEZ PAS QUE JE FAIS DE MON MIEUX ET QUE J'EXÉCUTE SAGEMENT LES ORDRES ?
EN PLUS ÇA FAIT UN BAIL QUE JE N'AI PAS TOUCHÉ UN JEU VIDÉO !!
TAISEZ-VOUS ET TRAVAILLEZ DR. HOWELL !!

"AKI"
... AYA ...
RENDS-MOI LA ROBE DE PLUMES ! JE NE VOIS ABSOLUMENT PAS EN QUOI ELLE T'EST UTILE... !
RENDS-LA-MOI !!
C'EST SIMPLE... UN JOUR OU L'AUTRE LES HOMMES QUITTERONT LA TERRE, SEULEMENT, LE TEMPS D'ADAPTATION À LEUR NOUVEL ENVIRONNEMENT NÉCESSITERA BIEN TROP D'ANNÉES ET LEUR ÉVOLUTION RISQUERA D'EN ÊTRE FREINÉE...
CEPENDANT, AVEC LA "ROBE DE PLUMES" EN LEUR POSSESSION... ! ILS POURRONT, TOUT COMME VOUS L'AVEZ TOUJOURS FAIT DANS CE BAS MONDE, SE TRANSFORMER AFIN DE MIEUX S'ADAPTER À LEUR NOUVEAU MILIEU !!

CÉRÈS !!
!!
C'EST CÉRÈS ... CÉRÈS EST ICI !! MA FEMME EST ICI !!!...
... QU'EST-CE QUE C'EST ENCORE ?!! QUI A OSÉ M'ATTACHER ?!!
KAGAMI !! MAINTENANT QUE TU AS EU CE QUE TU VOULAIS, TU ME LARGUES, C'EST ÇA ?!!

J'AURAI TA PEAU !!!
JE VOUS TUERAI TOUS !!
FAITES-LUI UNE INJECTION !!
PSHOUIT
C'EST DÉSESPÉRANT... LE FONDATEUR DÉLIRE COMPLÈTEMENT SOUS L'EFFET DES INJECTIONS ET DE LA MACHINE, SI JAMAIS AKI NE PARVIENT PAS À REVENIR, LA CHUTE DE L'UN ENTRAÎNERA L'AUTRE... !!
ZAAA

COMMENT SE FAIT-IL... !? AUCUNE ERREUR DE CALCUL N'A ÉTÉ COMMISE POURTANT, LE "BOUCLIER" EST PARFAIT !!
C'EST INCROYABLE ... !
"NON CÉRÈS ! ARRÊTE !! TU VAS ENCORE COMMETTRE UN MEURTRE !!"
"AGIT AUTREMENT... PENSE AU BÉBÉ !!"
FUH

SBOM
......!?
... AH JE VOIS... UNE FEMME ENCEINTE RESTE FRAGILE MALGRÉ SA TRANSFORMATION ...
JE SUIS SAUV ...
CRR
HAH HAH
CHEF ...?

MAIS… BIEN SÛR !! CÉRÈS N'A CERTAINE-MENT PAS AGI SEULE …
HÉ HÉ HÉ
HEIN ?
L'ENFANT QU'ELLE PORTE EST PROBABLEMENT AUSSI POURVU D'UN POUVOIR !!
APPELEZ-MOI ALEX ! IL VA DEVOIR RETRA-VAILLER LE "BOUCLIER" !!
… TU AURAS DONC REMPLI TON DEVOIR JUSQU'AU BOUT… TOYA …

… AYA

"AYAAAA"

"JE SAIS PERTINEMMENT QUE TU AS ENCORE PLEURÉ"

"TU SAIS, J'AI SEULEMENT RETROUVÉ MA ROBE DE PLUMES"

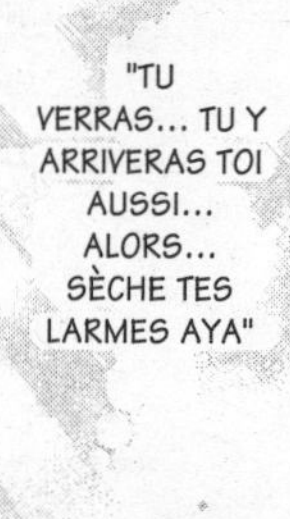

"TU VERRAS... TU Y ARRIVERAS TOI AUSSI... ALORS... SÈCHE TES LARMES AYA"

... CHIDORI ...

MAIS ÇA SE COMPREND NON ?!!

"MUNIES DE CETTE ROBE LES NYMPHES PEUVENT RETOURNER DANS LES CIEUX"

... TOYA EST "AVEC TOI" !?

ATTENDS-MOI, CHIDORI, NE T'EN VA PAS !!

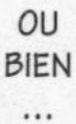

OU BIEN ...

...
VOUS VOILÀ ENFIN RÉVEILLÉE CÉRÈS... VOUS ME RASSUREZ
...
VOUS AVEZ DORMI TROIS JOURS DURANT
...
NE VOUS INQUIÉTEZ PAS... VOUS ÊTES DANS VOTRE CHAMBRE
...

J'AI CHANGÉ DE FORME
JE M'APPELLE GLADYS SMITHON ET VOICI "M", QUI EST CHARGÉE DE VEILLER À VOTRE BIEN-ÊTRE...
TOUS VOS EFFETS PERSONNELS SONT LÀ, À L'EXCEPTION DE VOTRE TÉLÉPHONE PORTABLE QUI VOUS A ÉTÉ CONFISQUÉ, TOUT CONTACT AVEC L'EXTÉRIEUR VOUS ÉTANT INTERDIT ...
SPAH
AH OUI, CE COLLIER... IL N'Y AVAIT PAS MOYEN DE VOUS L'ENLEVER DES MAINS !
ET TOYA ?
QUE LUI AVEZ-VOUS FAIT ? LAISSEZ-MOI AU MOINS LE VOIR !!
C'EST IMPOSSIBLE... JE NE SAIS COMMENT VOUS LE DIRE MAIS...
NOUS IGNORONS CE QU'IL EST ADVENU DE SON CORPS, NOUS N'EN AVONS RETROUVÉ AUCUNE TRACE...

SNIF
SNIF
SNIF
"AYA... ÇA NE SERT À RIEN DE PLEURER"
"DÈS LORS QUE TU TE TROUVES ICI, IL NE TE RESTE PLUS QU'À TE BATTRE... LAISSE-MOI SORTIR ENCORE UNE FOIS ET GUIDE-MOI DE L'INTÉRIEUR"
... COMME TU ES FORTE CÉRÈS !
CHIDORI ET TOYA NE REPRÉSENTENT RIEN POUR TOI
... QU'IL Y AIT DES GENS QUI MEURENT OU QUE TU TUES, CELA NE T'AFFECTE GUÈRE... CE QUI COMPTE À TES YEUX C'EST "LA ROBE DE PLUMES" ... !
"TU INSINUES QUE..."

"... JE N'ÉPROUVE NI TRISTESSE NI COLÈRE ?"
HEIN...
... JE LE SAIS, PLEURER N'Y CHANGERA RIEN, CETTE FAIBLESSE RISQUE AU CONTRAIRE DE ME PERDRE ... !!
JE DOIS DEVENIR PLUS FORTE !!!!

...
LA VISITE DE NOTRE ÉTABLISSEMENT EST TERMINÉE, VOTRE IDENTITÉ EST INSCRITE SUR CETTE PLAQUE ET ELLE VOUS SERVIRA DE CLÉ POUR ACCÉDER À TOUTES LES PIÈCES, NE LA PERDEZ SURTOUT PAS...
CERES
T-A
"IL ME SEMBLE AVOIR EMPRUNTÉ CE CORRIDOR LORSQUE JE M'ÉTAIS ENFUIE LA PREMIÈRE FOIS... JE SUIS SÛRE QUE LE SOUS-SOL SERT D'ATELIER..."
JE ME DEMANDE OÙ SE TROUVE LA SALLE D'EXPÉRIENCES OÙ ILS PROCÈDENT À LA RECONSTITUTION DE LA ROBE...

JE RÊÊÊÊÊVE
DES "DESCENDANTES DE NYMPHES" !?
MADAME GLADYS !
IL Y EN A TANT QUE ÇA... ? ELLES ONT ÉTÉ CLONÉES OU QUOI ?
IL Y A MÊME DES ENFANTS ! ∆
C'EST DONC VOUS AYA MIKAGÉ... "CÉRÈS", N'EST-CE PAS ? "LA SOURCE MATERNELLE" !
... VOUS POUVEZ RÉPÉTER ?
"LA SOURCE MATERNELLE"... MADAME GLADYS, NOTRE PROFESSEUR, NOUS A DONNÉ UN COURS À CE SUJET ! ELLE NOUS A APPRIS QUE LE MYTHE COMMENÇAIT PAR L'UNION D'UN HOMME ET D'UNE FEMME REPRÉSENTÉS COMME DE FAUX JUMEAUX ...
HEIN!
LA LÉGENDE DIT QUE L'HUMANITÉ EST NÉE GRÂCE À CETTE UNION... LE PROJET C SE SERAIT INSPIRÉ DE CETTE HISTOIRE !
N'EST-CE PAS LES FILLES ?
QUOI!?
COMME JE SUIS CONTENTE DE FAIRE VOTRE CONNAISSANCE ! NOUS AVONS ENTENDU DIRE QUE AKI ET AYA MIKAGÉ ÉTAIENT À L'ORIGINE DE CE MYTHE...

"C'EST QUOI ENCORE CES ÂNERIES !?"
SOURIRE
LES FEMMES ENCEINTES PORTENT UNE PLAQUE EN OR
"ON LEUR A EXTRAIT DES OVULES ..."
"ELLES ONT TOUTES SUBI UNE OPÉRATION... COMME CHIDORI"
C'EST TOUT DE MÊME GRÂCE À VOUS QUE LE SANG DE NOS ANCÊTRES A PU RESSURGIR ...
CELA REVIENT À DIRE QUE VOUS ÊTES LA MÈRE DE TOUTES LES NYMPHES !
ET DE TOUS LES ENFANTS QUI VONT ENCORE VOIR LE JOUR !
... ET CETTE... VIE... VOUS CONVIENT ?
ALORS QUE VOUS ÊTES ENFERMÉES ICI SANS MÊME SAVOIR QUI EST LE PÈRE DE L'ENFANT QUE VOUS ALLEZ METTRE AU MONDE ?
ENFERMÉES ?

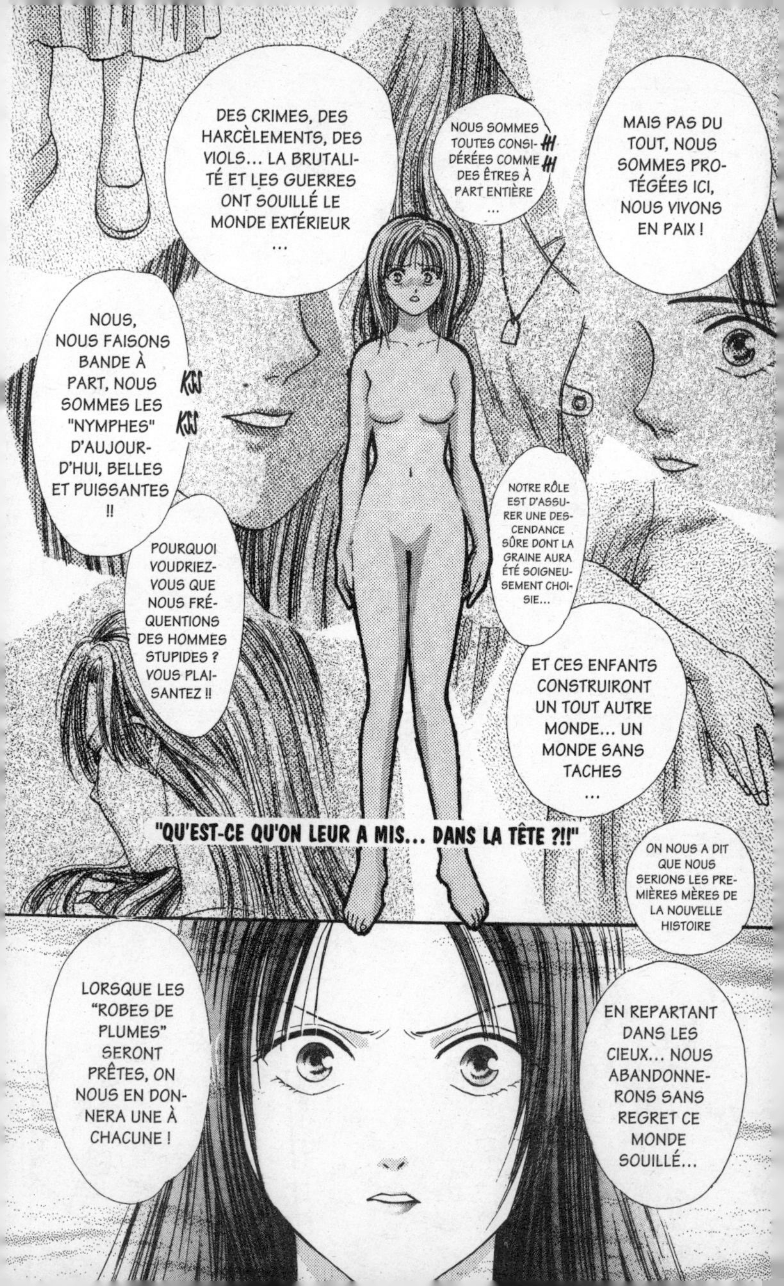
MAIS PAS DU TOUT, NOUS SOMMES PROTÉGÉES ICI, NOUS VIVONS EN PAIX !
NOUS SOMMES TOUTES CONSIDÉRÉES COMME DES ÊTRES À PART ENTIÈRE ...
DES CRIMES, DES HARCÈLEMENTS, DES VIOLS... LA BRUTALITÉ ET LES GUERRES ONT SOUILLÉ LE MONDE EXTÉRIEUR ...
NOTRE RÔLE EST D'ASSURER UNE DESCENDANCE SÛRE DONT LA GRAINE AURA ÉTÉ SOIGNEUSEMENT CHOISIE...
NOUS, NOUS FAISONS BANDE À PART, NOUS SOMMES LES "NYMPHES" D'AUJOURD'HUI, BELLES ET PUISSANTES !!
KSS
KSS
POURQUOI VOUDRIEZ-VOUS QUE NOUS FRÉQUENTIONS DES HOMMES STUPIDES ? VOUS PLAISANTEZ !!
ET CES ENFANTS CONSTRUIRONT UN TOUT AUTRE MONDE... UN MONDE SANS TACHES ...
"QU'EST-CE QU'ON LEUR A MIS... DANS LA TÊTE ?!!"
ON NOUS A DIT QUE NOUS SERIONS LES PREMIÈRES MÈRES DE LA NOUVELLE HISTOIRE
LORSQUE LES "ROBES DE PLUMES" SERONT PRÊTES, ON NOUS EN DONNERA UNE À CHACUNE !
EN REPARTANT DANS LES CIEUX... NOUS ABANDONNERONS SANS REGRET CE MONDE SOUILLÉ...

VOUS DÉSIREZ RENTRER VOUS AUSSI, N'EST-CE PAS ? DANS CE CAS, PARTONS TOUTES ENSEMBLE !
D'ACCORD ?
GNN
... IMPOSSIBLE DE FAIRE JAILLIR MES POUVOIRS... JE VOIS QU'ILS ONT TOUT BONNEMENT ÉTÉ SCELLÉS ...

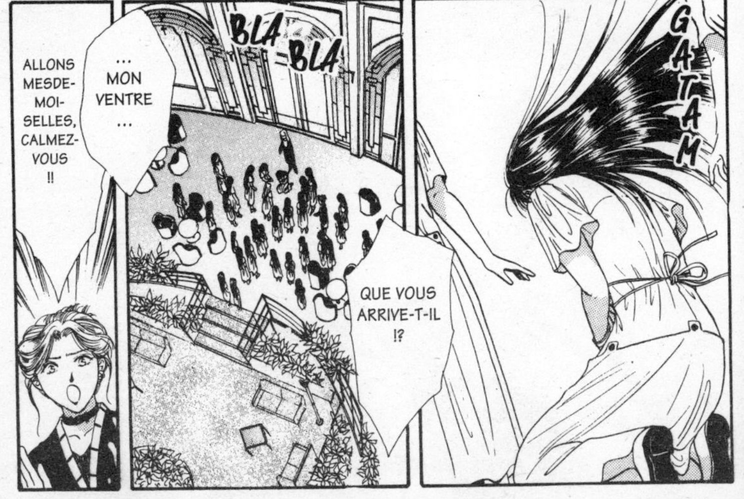
GATAM
QUE VOUS ARRIVE-T-IL !?
BLA-BLA
... MON VENTRE ...
ALLONS MESDEMOISELLES, CALMEZ-VOUS !!

NE VOUS EN FAITES PAS CÉRÈS... JE VAIS APPELER LE PERSONNEL MÉDICAL...
!!

OÙ EST LA SALLE D'EXPÉRIENCE ?! OÙ SE TROUVE LA ROBE ?!
CRIIIC
OUHG!
CONDUISEZ-MOI LÀ-BAS !!
IL NE S'EST PLUS RÉVEILLÉ...
TIC
JE N'EN PEUX PLUS, JE SUIS CREVÉ...
PROFESSEUR HOWELL !!

...!?
... AKI !?
OÙ SUIS-JE... !?
TOUT FICELÉ
AÏE... C'EST QUOI TOUT ÇA ?!
PROFESSEUR ! SES BLESSURES ONT DISPARU !!
... AKI !? C'EST VRAIMENT VOUS !? VOUS ME RECONNAISSEZ !?
... MONSIEUR... ALEX ?

... MONSIEUR ALEX... !! MAIS... QU'EST-CE QUE ...!?
JE... AAH... QUE M'EST-IL ARRIVÉ... ?
VERTIGE
ÇA VA ? REPOSEZ-VOUS SUR MOI !
... MERCI ...
......
DÉTACHEZ-LE !

AAAAAH!

BANDE D'IMBÉCILES !!
COMMENT AVEZ-VOUS PU PENSER UN SEUL INSTANT QUE JE POUVAIS RENDRE MON CORPS AUSSI FACILEMENT À CE GOSSE ?!!
OÙ ES-TU ... CÉRÈS ?!!

C'EST LÀ-BAS N'EST-CE PAS ?
... CÉRÈS... VOUS NE COMPRENEZ PAS QUE CE QUE VOUS FAITES EST INUTILE ?
C'EST CE QUE J'ALLAIS VOUS DIRE !! ET CES JEUNES FEMMES ? BRAVO, VOUS LEUR AVEZ BIEN LAVÉ LE CERVEAU !!
COMMENT POUVEZ-VOUS PRÉTENDRE LES APPELER NYMPHES ALORS QU'ELLES NE SAVENT PLUS CE QU'EST LA COLÈRE NI LA TRISTESSE... QUE VOUS AVEZ TUÉ LEUR AMOUR PROPRE ...?!!

CÉRÈS
... !!
TU ES
À MOI
!!!
!?

ENFIN, JE T'AI ATTRAPÉE !!
"LE FONDATEUR !"
ON NE PEUT PAS DIRE QUE TU M'AIES FACILITÉ LA TÂCHE !
MAÎTRE ... !!

LES BLA-BLAS DE YUU WATASE

À propos, il paraît que Gackt, l'ex-chanteur de "Malice Mizer" a servi de modèle pour la réalisation de Squall. Et pour Rinoa, son modèle serait Takako Matsu (ah oui ?) et Selphie, Ami Suzuki ?... selon le responsable Y "c'est Hirosué qui aurait servi de modèle pour Selphie". Bref, laissons cela de côté.
Je reconnais qu'on retrouve dans ce jeu un peu de l'ambiance qui régnait autour de Toya et de Aya (en début d'histoire) alors, intégrons complètement le monde de "Ayashi no Cérès" dans le jeu ! (à l'exception d'un nom qui n'a strictement rien à voir). Voici donc la distribution : Shiva "Cérès", Ifrit "Mikagi" (ne me demandez pas pourquoi), Diablos "Kagami" (rires), Alexander bien sûr "Alex" (ah ah), Carbunkle "Aki" etc.... Et en me basant sur les pouvoirs, j'ai nommé "Pallas" dans le rôle de Quetzacoalt qui représente le tonnerre et pour la force de la voix, Siren, j'aurai dû choisir "Shuro" bien sûr... mais reconnaissez que "Urakawa" mériterait aussi ce choix. Et "Mamoru" alors ? Ce chien, se devait d'être Cerberos non... ?
Je suis en plein dilemme, je me demande si je dois retourner prendre les deux Guardian Force qui me manquent. Dire que je viens juste de commencer le troisième CD !!
...vous vous demandez comment une telle passion pourrait se justifier ?! (rires) Il faut dire qu'entre le deuxième et le troisième CD, Squall a dû se cogner la tête ou bien manger quelque chose qui ne lui a pas réussi...
Mais bon, instinctivement, je me suis mise à hurler face à l'écran "Toya, c'est pas le moment de te laisser aller !!". Ce qui m'a le plus fait rire c'est d'avoir appelé "Yuhi" le chien de Rinoa. Lorsque Aya est out, il fait appel à des tactiques du style "Yuhi rush" ou bien "Yuhi canon" (rires). Qu'est-ce qu'on a pu l'encourager avec mon assistante "Allez, Yuhi !! le chien de Aya !!" ...comment a-t-on pu traiter Yuhi de la sorte... ?! (ah ah). Je trouve que "Zell" correspondrait mieux à l'image de Yuhi mais je ne peux plus changer les noms... Selphie s'appelle "Chidori" et je verrai bien "Gladys" en Quistis. Pour faire plaisir à mon assistante fan de Aki, j'ai donné ce nom à mon Chocobo . Par contre "Cérès" porte à merveille le nom de "Shiva". Bien entendu, Aya en bénéficie aussi du coup...

QUE FAITES-VOUS ICI ?
BAM
T'OCCUPE ! OUVRE CETTE PORTE ! JE VAIS QUITTER LE LABO AVEC MA FEMME !! MAIS JE TUERAI KAGAMI AVANT !!

IL ENRAGE
QUAND JE PENSE QU'IL A VOULU ME FAIRE DISPARAÎTRE !!
ET IL PENSAIT RECONSTITUER LA ROBE DE PLUMES PAR-DESSUS LE MARCHÉ !? IL A DÉPASSÉ LES BORNES... !! C'EST DONC DANS LA PIÈCE DU FOND QUE ÇA S'PASSE HEIN ?!!

TAP
...
C'EST TERRIBLE...
ALEX !
ALEX !

CHEF !
LE FONDATEUR A RETROUVÉ CÉRÈS !!
ILS SONT DANS LE COULOIR QUI MÈNE À LA SALLE D'EXPÉRIENCES B ! LES PORTES SONT VERROUILLÉES MAIS C'EST LÀ QUE SE TROUVE LA ROBE DE PLUMES !!
ENTENDU... ALEX, DEBOUT, OCCUPE-TOI DU FONDATEUR !
JE REFUSE !! J'EN AI ASSEZ ...!!
COMBIEN DE CADAVRES VA-T-IL FALLOIR ENCORE COMPTER ?!!

... JE PENSAIS QUE TU SAVAIS À QUOI T'EN TENIR ! DE MON CÔTÉ, JE SUIS PRÊT À INCARNER LE "DIABLE "S'IL LE FAUT AFIN DE MENER À BIEN NOTRE PROJET !
TROP C'EST TROP !! JE N'AI PAS ACCEPTÉ CE BOULOT POUR EN ARRIVER LÀ... !!
AUCUNE RÉFORME NE S'OBTIENT PAR LA DOUCEUR... MÊME S'IL FAUT DEVENIR UN ÊTRE MÉPRISABLE, JE N'AI AUCUN REMORDS... JE T'AVAIS PRÉVENU ...
JAMAIS JE NE POURRAI INCARNER NI LE "DIABLE" NI "DIEU" !!
JE NE SUIS QU'UN "HUMAIN" !!

ET VOUS AUSSI CHEF !... VOUS N'ÊTES QU'UN "ÊTRE HUMAIN" !!
PAS QUESTION, TU ES VENUE CHERCHER LA ROBE DE PLUMES N'EST-CE PAS ?! ...
MAÎTRE ! L'ACCÈS EST INTERDIT, JE N'AI PAS L'AUTORISATION D'ENTRER ALORS CESSEZ DE BRUTALISER CÉRÈS, C'EST INUTILE ...
LÂCHE-MOI !!
GRAB
T'ENTENDS ÇA MA BELLE ? DOMMAGE POUR TOI... LAISSE TOMBER ET VIENS AVEC MOI !!

MAÎTRE ! LÂCHEZ CÉRÈS ...
CHEF ! VOULEZ-VOUS ENVOYER LES SECOURS !?
NON, NOTRE INTERVEN-TION POUR-RAIT NUIRE GRAVEMENT À CÉRÈS ...
QU'ILS ATTEN-DENT DEVANT LA PORTE SANS INTERVENIR...
... IL RISQUE D'Y AVOIR DU NOUVEAU TRÈS BIENTÔT ...

ZAAAH
OUHH!
KA
AH
MERDE ... PFF UN "BOUCLIER" ... !!
LE POUVOIR DES NYMPHES N'AGIT PAS DANS CE LABORATOIRE ...

PAS PLUS QUE TON POUVOIR... PUISQUE C'EST MOI QUI TE L'AI DONNÉ !!!
"QUOI ?"
GRINCH
"TU AS PARTAGÉ UNE PARTIE DE TON POUVOIR... AVEC LUI ?"
AAAH!
SHCRAAC

CHEF !
ATTENDEZ !
AU FAIT, IL PARAÎT QUE JE T'AI FORCÉE À DEVENIR MA FEMME ?!
... ÇA VEUT DIRE QUOI CE REGARD ?!

ON SE DEMANDE D'OÙ TU SORS CES SALADES !!
"HEIN !?"
C'EST TOI QUI AS VOULU M'ÉPOUSER... JE CONNAISSAIS TES SENTIMENTS POUR MOI... !!
"MAIS... BIEN SÛR !!... LE POUVOIR APPARTIENT AUX NYMPHES ! DONC CÉRÈS A DÛ..."
"MAIS POURQUOI ÉTAIT-ELLE SI SOUMISE !? ELLE AURAIT TRÈS BIEN PU REFUSER DÈS LE DÉPART... "
TU INSINUES PEUT-ÊTRE QUE... "JE T'AIMAIS" ?
... C'EST BIEN ÇA ?

HÉ HÉ
QU'EST-CE QU'IL Y AURAIT DE RISIBLE ?
HI HI
QUELLE VANITÉ… !
… KAGAMI… TU DOIS SÛREMENT M'ENTENDRE ?!
HAH
EN EFFET… TU N'AVAIS PAS ENTIÈREMENT TORT, TON RAISONNEMENT AVAIT UNE PART DE VÉRITÉ …
… TRÈS BIEN, LAISSEZ-MOI VOUS CONTER MON HISTOIRE …
… …

TOUT CE QUE JE VOULAIS, C'ÉTAIT UNE "GRAINE" VENANT D'UN HOMME
L'OBJECTIF DES NYMPHES N'EST AUTRE QUE CELUI DE DONNER NAISSANCE À UN HÉRITIER !

C'EST UNE RÉACTION ENTIÈREMENT NATURELLE PUISQUE NOUS NE SOMMES QUE DES "APPÂTS" ...
LES HOMMES NOUS CONSIDÈ-RENT COMME DES FEMMES SUPRÊMES ET SUCCOMBENT SOUS NOTRE CHARME
L'HOMME EST UN ÊTRE MISÉRABLE DONT L'EXISTEN-CE EST EMBAR-RASSANTE POUR LES FEMMES

... NAVRÉE DE TE DIRE ÇA MAIS
BIEN D'AUTRES HOMMES SONT PASSÉS AVANT TOI !!
... MAIS... TU... TU... !!
IL ME SUFFIT D'ATTENDRE QUE LA ROBE DE PLUMES DÉSIGNE CELUI QU'IL ME FAUT...
C'EST AINSI QU'UNE ESPÈCE EST PRÉSERVÉE, TOUT ÊTRE VIVANT SE DOIT DE REMPLIR CE DEVOIR ...
CEPEN-DANT, TOUS LES HOMMES N'ONT PAS LA CHANCE D'ÊTRE ACCEPTÉS, JE NE CHOI-SIS QUE LES MEILLEURS ...

JE T'AI FAIT DON DE MON POUVOIR POUR QUE TU DEVIENNES UN HOMME PUISSANT ET BRILLANT AFIN D'Y GAGNER UN PARFAIT HÉRITIER ...
SEULEMENT, LA ROBE DE PLUMES S'EST FOURVOYÉE DANS SON CHOIX !
TAIS-TOI !!
UNE TRAÎNÉE !! UNE SORCIÈRE !!
"C'EST ABERRANT... !!"
PLUSIEURS... HOMMES... SERAIENT PASSÉS... AVANT MOI !?
... C'EST DONC ÇA UNE "NYMPHE"... !! NE M'FAIS PAS RIRE !!
... SI JE SUIS UNE SORCIÈRE ALORS TU ES LE DÉMON... C'EST TOI QUI AS TUÉ TOYA, N'EST-CE PAS ?

SURSAUT
TOYA ... !?
... J'AVAIS DES CHOSES À LUI FAIRE CRACHER, SEULEMENT IL ME TENAIT TÊTE ET JE L'AI TUÉ
D'UNE BALLE DANS LA TÊTE !
ET PUIS D'ABORD, QU'EST-CE QUE CE TYPE VIENT FAIRE LÀ !?
TU T'ÉTAIS RÉINCARNÉE DANS AYA DANS LE BUT D'OBTENIR UNE "NOUVELLE GRAINE" HEIN ...?!
....
... C'EST PAS VRAI ...

NE... NE ME DIS PAS QUE ...
C'EST DÉJÀ FAIT... !?
CET HOMME ÉTAIT PARFAIT
SUPÉRIEUR À TOI EN TOUS POINTS !

ZUT
COLÈRE
NON !
CÉRÈS
...

GLADYS ...
PAN

OUH!
VERTIGE
ZLIP
GLADYS !!

NE LAISSEZ PAS TOMBER… NOTRE IDÉAL…
… PROMETTEZ-LE-MOI…
BRAVO, TU AS PROTÉGÉ CÉRÈS ! ILS VONT TE SOIGNER TOUT DE SUITE…
CHEF …
GLIP
"JAMAIS JE NE POURRAIS INCARNER NI LE DIABLE… NI DIEU !!"
"JE NE SUIS QU'UN ÊTRE HUMAIN !!"

TAP
... ELLE EST MORTE... N'EST-CE PAS... ?
CÉRÈS... CE QUE TU AS DIT EST VRAI ?
... C'EST LA PURE VÉRITÉ !

NOUS N'EXISTONS QUE POUR ASSURER UNE DESCENDANCE...
IL N'Y A PAS D'AUTRE RAISON !
J'IGNORE SI L'IMAGE QUE NOUS AFFICHONS EST RÉELLEMENT LA NÔTRE... J'IGNORE MÊME NOTRE PROVENANCE ...
......!!
NOUS AVONS... RETROUVÉ DES GÉNOMES C GRÂCE À UN PROGRAMME QUE NOUS AVONS NOMMÉ PROJET C ...
ENSUITE UN "GARDINAL" A ÉTÉ CHOISI PARMI LES ÊTRES HUMAINS ET NOUS AVONS PROCÉDÉ À L'ACCOUPLEMENT ...
"DANS L'INTENTION DE DONNER NAISSANCE À UN DESCENDANT PLUS QUE PARFAIT"
QUELLE SIMILITUDE !!

JADIS, NOUS AVONS OPÉRÉ DE LA MÊME MANIÈRE
J'AI DONNÉ NAISSANCE À DES ENFANTS DONT LE PÈRE AVAIT ÉTÉ SOIGNEUSEMENT CHOISI... JE PENSAIS QUE NOS HÉRITIERS ATTEINDRAIENT LA PERFECTION ...
MAIS À L'HEU-RE ACTUELLE, NOTRE DES-CENDANCE SE MEURT... IL N'EN RESTE PRESQUE PLUS...
... PARMI EUX, LES MIKAGÉ SONT LES MEILLEURS ! ...
FINALEMENT, À MON GRAND REGRET, N'AVEZ-VOUS PAS AGIT DE LA MANIÈRE LA PLUS PITOYABLE QU'IL SOIT ...
... C'EST FAUX !!
L'HUMANITÉ EST EN TRAIN DE SE PERDRE !! L'AVENIR DE NOTRE MONDE EST COMPLÈTE-MENT BOUCHÉ... MÊME LA TERRE SOUFFRE DE SES BLESSURES... !!
JE SOUHAITE SEULEMENT DONNER UNE DERNIÈRE CHAN-CE À NOTRE MONDE...! FABRI-QUER DES ÊTRES BRILLANTS AFIN DE BÂTIR UN NOUVEL AVENIR !!!

PEU IMPORTE L'ENDROIT, L'ESSENTIEL EST DE FONDER UN MONDE IDÉAL POUR L'HUMANITÉ !!
... VOILÀ UNE HISTOIRE BIEN TRISTE ET DÉSESPÉRANTE ...
JE SUIS FATIGUÉE... LAISSE-MOI ME REPOSER... TU N'ES QU'UN PAUVRE ENFANT ...
... NOUS NE FAISONS QUE... RECOMMENCER CE QUI A DÉJÀ EXISTÉ... ?

" ... CÉRÈS ... !! "
IL FAUT QUE TU M'EXPLIQUES !! QU'EST-CE QUE C'EST ENCORE QUE CETTE HISTOIRE ...?!!
NOUS AURAIS-TU DUPÉS JUSQU'À MAINTENANT !?
JE N'AI FAIT QUE SUIVRE LE FIL DE L'HISTOIRE DE LA "ROBE DE PLUMES DES NYMPHES"... UN CONTE TRANSMIS PAR LES HUMAINS ...
NON... JE N'ARRIVE PAS À Y CROIRE !!! TOI, COMME KAGAMI...
ET CETTE HISTOIRE DE "DESCENDANCE"... C'EST POUR CETTE RAISON QUE TU N'AS RIEN DIT... SUR TOYA ?

NON… TU N'AS PAS ENCORE TOUT DIT, JE LE SENS !!…
FINIES LES CACHOTTE-RIES… DIS-MOI TOUT ! QUE S'EST-IL PASSÉ AVEC LE FONDATEUR !?
ET EXPL… HEIN ?!
ZAAM
SSSST
HÉ
ATTENDS, NE DISPA-RAIS PAS, REVIENS !!

ZAAAM
CÉRÈS
... !?
CE PAYSAGE...
!?

CÉRÈS... ? LE PASSÉ ...
JE ME TROUVE DANS LE PASSÉ DE CÉRÈS !?
ALORS TU ACCEPTES DE TOUT ME DÉVOILER !? TU ES SUR LE POINT DE ME MONTRER CE QU'IL S'EST PASSÉ AVEC LE FONDATEUR ?! ...

LES BLA-BLAS DE YUU WATASE

Suite. J'adore la musique choisie pour ce jeu (j'ai acheté le CD de la musique en version à tirage limité) surtout celle du générique d'ouverture (celle de la fin aussi est super, d'ailleurs, je suis en train de l'écouter). En mars, je me suis rendue au festival du dessin animé en Caroline du Nord, aux États-Unis, et je suis tombée sur un poster provenant de Taïwan. Mme Sue, qui m'a énormément aidée pendant mon séjour, a réussi à se le procurer et me l'a offert. J'étais heureuse. Je ne l'ai toujours pas fixé au mur de peur de l'abîmer alors, il est posé là…
…Eh oui ! Taïwan, parlons-en !! Je ne connais pas encore la date de sortie du volume 13 dans ce pays mais "Bon courage à tous ceux qui ont été victimes des dégâts sismiques !!". Je m'y suis rendue pour une séance d'autographes et j'ai pu rencontrer de nombreux lecteurs. Leurs encouragements étaient bien plus forts que ceux que je reçois au Japon. Quant à "Fushigi" il apparaissait en première place dans le classement des BD pour filles, c'est bien la preuve que les taïwanais sont tous des mordus de manga. Je reçois aussi en permanence énormément de courrier en provenance de ce pays (ou de Hong Kong) !! Cependant, je m'inquiète beaucoup pour eux et… j'aimerais que vous les aidiez à s'en sortir en apportant votre aide financièrement. Ainsi, la ville pourra se remettre sur pied, reprendre le dynamisme qui lui appartient et redonner le sourire à ses habitants. Cette ville est charmante et me rappelle quelque peu celle de Osaka (rires). Le Japon a connu lui aussi des catastrophes lors du tremblement de terre dans le Kansai, nous ne pouvons pas rester indifférents !!… sans oublier que le Caire a subi le même sort… c'est fou ce qu'il y a comme séismes… ça me fiche la trouille!!
…Alors que je vous écris très sérieusement, rien n'a l'air de perturber la cadence de la chanson de FF VIII… tiens ? C'est maintenant la musique du bal qui a pris le relais. (Hum… cette phrase a dû vous paraître terriblement incompréhensible, ce qui est normal si vous n'êtes pas des adeptes de ce jeu vidéo). Bref… en tout cas, j'encourage les habitants de Taïwan !!

CETTE SCÈNE ME RAPPELLE CELLE DU BAIN DES NYMPHES...
SI JE COMPRENDS BIEN... LA ROBE DE PLUMES DOIT SE TROUVER QUELQUE PART PAR ICI !
SPLATCH
UN REQUIN !?
SPOF

GRAB
OH !

LE "FONDATEUR" !?
FAIS ATTENTION !! TU VAS TE FAIRE PRENDRE !!
WAH
J'AI TROUVÉ ÇA LÀ-BAS... CELA T'APPARTIENT-IL ?
OUI... C'EST UN "MANA"
LA "ROBE DE PLUMES" !?
J'VOIS RIEN !!!
... HEIN ?!
CECI REPRÉSENTE MA VIE... IL EST TRÈS PRÉCIEUX ...
FLAP...

JE VOIS... ALORS PRENDS-EN SOIN... JE NE T'AI ENCORE JAMAIS VUE DANS LE COIN, QUEL EST TON NOM ?
OUI... "MANA"
CE QUE LES HUMAINS APPELLENT "ROBE DE PLUMES"... ELLE ATTIRE SA PROIE VERS ELLE ET CELUI QUI L'AURA EFFLEURÉE SERA L'ÉLU...
"MANA" ... C'EST UN AUTRE NOM POUR LA ROBE DE PLUMES ... ?
SST
JE M'APPELLE "CÉRÈS"... JE SUIS VENUE DE TRÈS LOIN SANS BUT PRÉCIS... PUIS-JE RESTER UN MOMENT SUR VOS TERRES... ?
C'EST DONC LUI LE "FONDATEUR" !!... RIEN À VOIR AVEC L'AUTRE, IL A UN STYLE ET UN GENRE TOUT À FAIT DIFFÉRENT ...!!
GLOUPS

CET HOMME S'APPELLE "MIKAGI" ...
MIKAGI... ? MIKA...GÉ ?
ME CONSIDÉ-RANT COMME UNE "FILLE DE DIEU", LES MEMBRES DE SA TRIBU M'ONT ACCEPTÉE PARMI EUX AVEC JOIE ...

JE N'AVAIS JAMAIS CONNU UN HOMME COMME LUI...
CHAQUE JOUR, JE RECEVAIS UN MAGNIFIQUE BOUQUET DE FLEURS ...
AVEC DU RECUL, JE DIRAIS QUE... C'ÉTAIT UNE COUTUME CHEZ EUX POUR DEMAN-DER LA MAIN D'UNE FEMME ...

ET UN SOIR, UN MOIS APRÈS NOTRE RENCONTRE ...
COMME C'EST CURIEUX !... LES FLEURS QUI T'ENTOURENT NE FANENT PAS ...
CEPENDANT CÉRÈS, TU ES LA PLUS BELLE FLEUR DE TOUTES ...
... JE SOUHAITERAIS PRÉSERVER TON ÉTERNELLE FRAÎCHEUR DE MES PROPRES MAINS ...
EN CADEAU DE MARIAGE, IL M'A OFFERT UNE BOUCLE D'OREILLE QU'IL AVAIT LUI-MÊME CONFECTIONNÉE, ELLE RESSEMBLAIT À MON "MANA" ...
SI SEULEMENT NOUS POUVIONS NOUS UNIR, ALORS... JE TE CONSACRERAIS MA VIE ENTIÈRE ...

BO BOM
OH
TOUS CES SOUVENIRS QUI DÉFILENT... APPARTIENNENT-ILS ENCORE À CÉRÈS ? OU BIEN SONT-ILS CEUX DU FONDATEUR ?
UN BONHEUR PARFAITEMENT COMBLÉ...
PAR LA JOIE DE L'AMOUR PARTAGÉ
MOI AUSSI... JE CONNAIS CE SENTIMENT...
TOYA ...

JE N'AVAIS JAMAIS ÉPROUVÉ UN TEL BONHEUR ...
JUSQU'À CE JOUR, UN HOMME NE REPRÉSENTAIT QU'UNE "GRAINE" À MES YEUX... MAIS LÀ, TOUT ÉTAIT DIFFÉRENT, J'AI ACCEPTÉ, DE MON PROPRE GRÉ, DE VIVRE MA VIE AVEC LUI ...
QUIZZ : À LA DÉCOUVERTE DU MONDE MYSTÉRIEUX
J'AI TOUTEFOIS UNE QUESTION QUI ME TROTTE DANS LA TÊTE, CET HOMME, EST-IL "NOTRE" FONDATEUR !?
IL A L'AIR D'ÊTRE UN TYPE TELLEMENT BIEN ET GENTIL... COMMENT EST-IL DEVENU CELUI QUE NOUS CONNAISSONS !?
... OUI ÇA SE VOIT... IL SUFFIT DE TE REGARDER ...
① IL A EU UN TRAUMATISME CRÂNIEN
② IL A MANGÉ DES ALIMENTS AVARIÉS
③ IL A SUBI UNE TRANSFORMATION
QUELLE EST LA BONNE RÉPONSE ?
... UN JOUR, AU COURS D'UNE LONGUE PROMENADE ...

DES HOMMES APPARTE-NANT À UNE AUTRE TRIBU NOUS ONT ATTAQUÉS ...
SBAF
... JE SUIS VRAI-MENT NAVRÉ... D'AVOIR ÉTÉ SI IMPUISSANT ...

... N'EN PARLONS PLUS ET CESSE DE TE CULPABILISER ...
ÉMUE
J'AI HONTE DE MOI-MÊME ...
SI SEULEMENT JE POSSÉDAIS MOI AUSSI... UN "POUVOIR" TEL QUE LE TIEN...
... EH BIEN, LAISSE-MOI T'EN OFFRIR... UNE PARTIE ...!
SST
IL ÉVITERA À L'HOMME BON QUE TU ES, D'ÊTRE BLESSÉ ...
ET IL TE PROTÉGERA !

CE POUVOIR EST CAPABLE DE CONCRÉTISER NOS SOUHAITS
IL NOUS PERMET DE NOUS ENVOLER OU BIEN DE DÉTRUIRE CEUX QUE NOUS MÉPRISONS
NOUS AVONS TOUJOURS... PARTAGÉ NOTRE "POUVOIR" EN ÉCHANGE DE LA "GRAINE" DONT UN HOMME NOUS A FAIT DON...
TAP
TAP
...
À CE MOMENT-LÀ... JE ME SUIS DIT QUE PUISQUE MON MARI LE DÉSIRAIT ...
TAP
COMMENT SE PORTE LE FONDATEUR ?
SA VIE EST HORS DE DANGER MAIS ...

... ARRÊTEZ ...
CESSEZ DE FAIRE SOUFFRIR AYA...
CEPENDANT... JAMAIS JE N'AURAIS SONGÉ QUE CETTE FORCE PARTAGÉE AVEC LUI SERAIT LE COMMENCEMENT D'UNE SOUFFRANCE SANS FIN !
AKI !?
ENRAGÉ
LA FERME MORVEUX !!

QUE VEUX-TU DIRE PAR… SOUFFRANCE !?
… NON … !!!!!
PLUS JAMAIS JE NE ME LAISSERAI ABATTRE …!!!
REGARDEZ-LE… ON DIRAIT QU'IL SE BAT AVEC LA PERSONNALITÉ DU "FONDATEUR" …
ZAF
MIKAGI ? TE VOILÀ ENF…
LA FERME !! J'AI REFAIT SURFACE DANS CETTE VIE DANS LA SEULE INTENTION DE RETROUVER MA FEMME … !!
CÉRÈS … !!

MIKAGI
... JE LES AI RETROUVÉS ...

COM-MENT... !? QUI ?!
CES TYPES QUE NOUS AVIONS CROISÉS... ET QUI T'AVAIENT AGRESSÉE !!
MAIS, RASSURE-TOI ...
ILS SONT TOUS MORTS MAINTENANT !!
CE POUVOIR EST EXTRAOR-DINAIRE CÉRÈS ... !!
C'EST COMME SI DIEU LOGEAIT EN MOI !!

RIEN QUE POUR TOI, JE DEVIENDRAI FORT... TRÈS FORT !!
MON MARI NE FUT PLUS LE MÊME HOMME À PARTIR DE CE JOUR ...
COMME POUR MONTRER CETTE FORCE QU'IL POSSÉDAIT, IL SE MIT À ATTAQUER LES AUTRES TRIBUS... LES UNS ÉPROUVAIENT UNE TERRIBLE PEUR TANDIS QUE LES AUTRES SE REGROUPAIENT AUTOUR DE LUI...
IL DEVÎNT LE CHEF D'UNE GIGANTESQUE TRIBU !!
JE NE VEUX PLUS QUE TU CONTINUES MIKAGI
TU N'ES PAS COMME ÇA, CESSE DE TE BATTRE... !!!

PAF
JE N'AGIS QUE POUR NOTRE BIEN !!
LÀ... N'EST PAS LE BONHEUR QUE JE SOUHAITAIS VIVRE ...
JE T'OFFRIRAI UN MONDE BIEN MEILLEUR QUE LE NÔTRE... GRÂCE À MON POUVOIR !!
JE T'INTERDIS DE SORTIR !!
JE N'ACCEPTERAI JAMAIS QUE LE REGARD D'UN AUTRE HOMME SE POSE SUR TOI !!
IL DEVAIT CERTAINEMENT AVOIR PEUR DE PERDRE SON POUVOIR...CAR IL SE MONTRAIT DE PLUS EN PLUS ATTACHÉ À MOI...
ENSUITE, PROFITANT DE MON ABSENCE ALORS QUE JE LOGEAIS DANS LA MAISON VOISINE POUR METTRE AU MONDE NOTRE TROISIÈME ENFANT ...

MIKAGI… OÙ EST MON "MANA" !?
HEIN
RENDS-LE-MOI… TU SAIS QU'IL M'EST VITAL !
JUSTEMENT, ARRIVERA UN JOUR OÙ IL T'ÉLOIGNERA DE MOI …
JE T'EN SUPPLIE, RENDS-LE-MOI !! SINON JE …
… NON … !!
TU M'APPARTIENS POUR L'ÉTERNITÉ !!

...OÙ EST-IL DONC PASSÉ

L'HOMME QUI ME TÉMOIGNAIT TANT D'AMOUR... ?

ET SI JE M'ÉTAIS TROMPÉE ?

ET SI DEPUIS LE PREMIER JOUR

IL NE M'AVAIT JAMAIS AIMÉE ?

DEPUIS LE DÉBUT...

MAMAN, VITE !! PARTONS AVANT QUE PÈRE NE REVIENNE !!

OH NON !
OÙ COMPTEZ-VOUS ALLER ?
CÉRÈS... NE VOIS-TU PAS QUE JE ME DONNE CORPS ET ÂME POUR TOI...
PÈRE ! VOYEZ MÈRE QUI S'AFFAIBLIT DE JOUR EN JOUR !!
RENDEZ-LUI SON MANA, SINON ELLE ...
PAF

GAH...
MA SŒUR
OUIN OUIN
AAAH
QUELQUE PART DANS MON FOR INTÉRIEUR ...
J'ESPÉRAIS ENCORE...
ELLE EST MORTE ...?
JE NE PERMETTRAI À PERSONNE DE T'ENLEVER, PAS MÊME À MES PROPRES ENFANTS !!

... QU'IL REDEVIENNE L'HOMME QU'IL ÉTAIT AVANT...
VIENS CÉRÈS
MAIS APRÈS ÇA ...
NOOOON

BLA
LES BLES- SURES
QUI COU- VRENT LE CORPS DU FONDATEUR ...!!
CÉ ...

JE NE VOULAIS PAS

FAIRE ÇA MAIS...

POURQUOI... ?

POURQUOI ?!!
J'AI ÉTÉ STUPIDE ...
FINALEMENT, LES HOMMES... N'EXISTENT QUE POUR DONNER LEUR "GRAINE" ...
À QUOI BON LAISSER PARLER LES SENTIMENTS ?
CELA NE NOUS SERVAIT À RIEN... L'ESSENTIEL ÉTAIT DE LAISSER UNE DESCENDANCE !!

UN ÊTRE HUMAIN... CET HOMME QUE J'AI RENCONTRÉ M'A APPRIS CE QUE SONT LES "SENTIMENTS"...

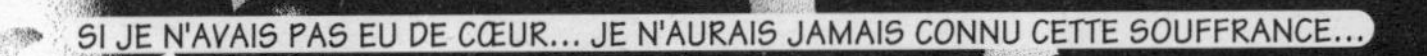
SI JE N'AVAIS PAS EU DE CŒUR... JE N'AURAIS JAMAIS CONNU CETTE SOUFFRANCE...

MAIS J'AI PENSÉ QU'IL M'AIMAIT...

"SI SEULEMENT NOUS POUVONS NOUS UNIR, ALORS... JE TE CONSACRERAI MA VIE ENTIÈRE"
J'AI VOULU CROIRE
QU'IL M'AIMAIT ...

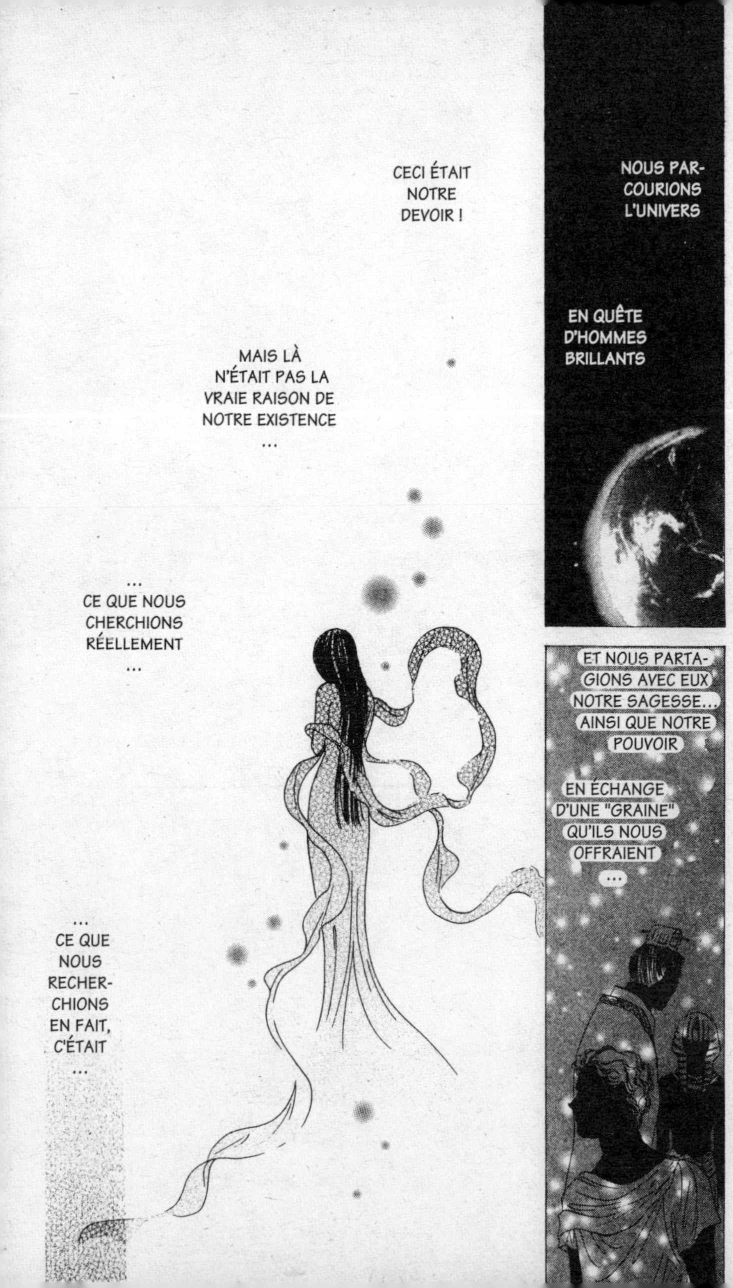

NOUS PARCOURIONS L'UNIVERS

EN QUÊTE D'HOMMES BRILLANTS

ET NOUS PARTAGIONS AVEC EUX NOTRE SAGESSE... AINSI QUE NOTRE POUVOIR

EN ÉCHANGE D'UNE "GRAINE" QU'ILS NOUS OFFRAIENT ...

CECI ÉTAIT NOTRE DEVOIR !

MAIS LÀ N'ÉTAIT PAS LA VRAIE RAISON DE NOTRE EXISTENCE ...

... CE QUE NOUS CHERCHIONS RÉELLEMENT ...

... CE QUE NOUS RECHERCHIONS EN FAIT, C'ÉTAIT ...

TOKYO
SLAM
AOGIRI
COUIIIC
JE SUIS CONTENTE QUE TU SOIS LÀ, SHURO... MÊME SI JE SAIS QUE TU ES PRIS PAR TON TRAVAIL

CE N'EST RIEN... MADAME SUZUMI
VOUS ME DISIEZ AVOIR REÇU DES NOUVELLES DE AYA ?
LES VOICI ...
BIP
J'ESPÈRE QUE LA FAMILLE AOGIRI VA BIEN...
AYA !!
PARDONNEZ-MOI DE M'ÊTRE ABSENTÉE SI SUBITEMENT...
CELA M'A PERMIS DE RÉFLÉCHIR LONGUEMENT ET... JE SUIS RETOURNÉE CHEZ LES MIKAGÉ !

J'EN ÉTAIS SÛR…
GLOUPS
MAIS RASSU-REZ-VOUS
ON PREND BIEN SOIN DE MOI ET LE BÉBÉ VA BIEN…
JE VOUS DEMAN-DERAI DE NE PLUS VOUS MÊLER DE CETTE AFFAIRE… JE VOUS EN SUPPLIE MÊME !
JE VOUS ENVERRAI DE MES NOU-VELLES LORSQUE J'EN AURAI TERMINÉ AVEC EUX …
PASSEZ LE BONJOUR À SHURO ! JE COMPTE SUR VOUS…

PFF ...
"JE COMPTE SUR VOUS"... ELLE EST BIEN BONNE CELLE-LÀ !
YUHI

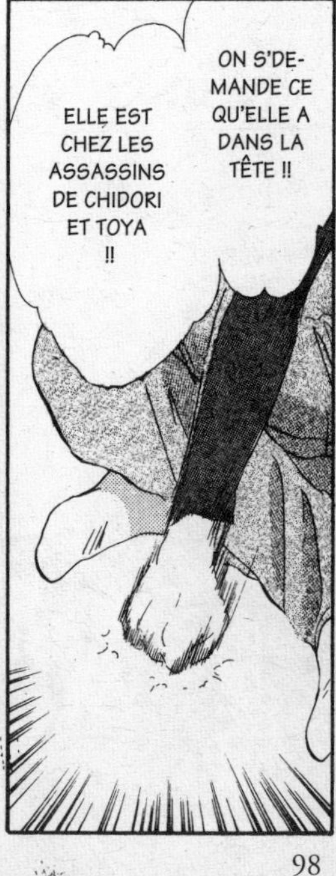
ON S'DEMANDE CE QU'ELLE A DANS LA TÊTE !!
ELLE EST CHEZ LES ASSASSINS DE CHIDORI ET TOYA !!

... LA ROBE DE PLUMES NE SE TROUVE-T-ELLE PAS DANS LE LABORATOIRE DES MIKAGÉ ... ?
ELLE VEUT SANS DOUTE.. LA RÉCUPÉRER ELLE-MÊME POUR NE PLUS NOUS CAUSER D'ENNUIS ...

LES BLA-BLAS DE YUU WATASE

...changeons de sujet. En parlant de ressemblance tout à l'heure, cela m'a fait penser à une chose... d'ailleurs, je ne sais même pas pourquoi mais... en fait, cela ne vient pas de moi alors je vous prie de ne pas vous fâcher, mes lecteurs m'ont souvent fait remarquer que Toya ressemblait beaucoup à Téru de "Glay"... ah oui ? vous trouvez... !?
Peut-être la couleur de ses cheveux, oui... mais Toya n'a pas eu vraiment de modèle. Pour la bonne raison que je l'ai dessiné en m'inspirant de ma conception de la beauté (rires). Il n'y a pas longtemps que j'éprouve la sensation de fondre en le dessinant.
...Au fait, vous avez vu ? Le masque du fondateur est enfin tombé. Il a eu pas mal de succès. Quant à la prononciation de son nom "Mikagi", elle est différente de celle de "Mikagé" où l'intonation est plate, "Mikagi" semble plus chantonnant. Pour moi... je dirais qu'elle ressemble à celle de "To (montez) ya (descendez)".
L'époque évoquée dans l'histoire est celle de la fin de l'époque Jômon (5000-300 av. JC). Bien évidemment, les gens de cette époque n'avaient rien à voir avec ceux représentés dans l'histoire (rires). Prenez ça comme une moitié de mensonge... Au Japon, la "légende de la robe de plumes" a fait son apparition pour la première fois au début de l'époque Yayoi (300 av. JC-239 ap. JC) alors, j'ai pensé que je pouvais me permettre quelques extravagances... côté vestimentaire. Il me semble bien que ces gens-là avaient le sens de la parure... ce qui laisse entendre que le port des bijoux daterait de cette époque ?! J'y crois, moi. D'ailleurs, les tatouages aussi.
Vous avez été nombreux à me faire part de votre tristesse en lisant l'épisode avec Cérès et Mikagi... sans oublier Shuro... je vous avouerais que je me suis donnée à fond (rires) pour vous offrir le maximum d'émotion. C'est parce que Cérès éprouve de l'amour qu'elle a donné de sa force à Mikagi mais mon assistante s'est demandée comment le côté disgracieux de cet homme a pu évoluer autant. En réalité, la notion de combat n'existait pas à l'époque Jômon, ils vivaient plutôt dans la paix avec le seul souci de s'entraider...

TU NE M'APPRENDS RIEN FIGURE-TOI !!
C'EST BIEN POUR ÇA QUE JE M'EN VEUX
D'ÊTRE AUSSI IMPUISSANT ... !

... NOUS TROUVERONS UN MOYEN POUR AIDER AYA
QUANT À TOI, SHURO, FAIS BIEN ATTENTION AUX MIKAGÉ !
NE VOUS INQUIÉTEZ PAS ! AU FAIT... MADAME SUZUMI, VOUS ÊTES SÛRE D'ÊTRE EN PLEINE FORME ?
BAH OUI... ? POURQUOI ?
TU VOIS DES MARQUES DE SOUCI SUR MON VISAGE !?
OH, J'AVAIS PAS VU MAIS
VOUS AVEZ DES PETITES RIDES !
C'ÉTAIT UNE BLAGUE MADAME, CALMEZ-VOUS !!!
PFF
... J'AURAIS DÛ Y PENSER... COMME VOUS N'AVEZ PAS INGURGITÉ LE MÉDICAMENT "VECTEUR", VOUS NE POUVEZ PAS VOUS TRANSFORMER...
QUOI ?
NON, RIEN ! BON, EH BIEN, JE VOUS TIENDRAI AU COURANT !

... SHURO N'AVAIT PAS L'AIR D'ÊTRE DANS SON ASSIETTE ...
JE SUIS DE TON AVIS... J'ESPÈRE QUE TOUT IRA BIEN !
TOKYO DOME

J'AURAIS TELLEMENT SOUHAITÉ QUE KEI CHANTE AVEC TOI ...

MAIS PUISQUE TU PORTES EN TOI SES DERNIÈRES VOLONTÉS
FAISONS EN SORTE QUE TOUT SOIT RÉUSSI !
LA QUES-TION NE SE POSE MÊME PAS !!
BON, EXCUSEZ-MOI MAIS J'AI UN PETIT TRUC À FAIRE...
JE DOIS Y ALLER !
REPOSE-TOI DÈS QUE TU EN AS L'OC-CASION !... AU FAIT, COMMENT TE SENS-TU ?

MADAME AKA-SHI, FRANCHE-MENT, VOUS VOUS EN FAITES POUR UN RIEN ! CE DOIT ÊTRE À CAUSE DE L'ÂGE...
DE QUOI !?
SOIS À L'HEURE DEMAIN !
ZIIP...
NON ! PAS MAINTE-NANT !!... ALLONS, COU-RAGE !
KEI... DONNE-MOI LA FORCE ...
D'AIDER MES AMIS ... !

TOYA... LE BÉBÉ EST EN PLEINE SANTÉ
JE NE SAIS PAS COMBIEN DE JOURS SONT PASSÉS DEPUIS MON ARRIVÉE ICI
ET JE COMPRENDS QUE LES AOGIRI SOIENT FÂCHÉS MAIS
AVANT QUE CET ENFANT NE VOIE LE JOUR
...

JE RENDRAI LA ROBE DE PLUMES… LE "MANA" À CÉRÈS !
CÉRÈS ET LE FONDATEUR "MIKAGI" ONT VÉCU UN TRISTE PASSÉ…
ET CE PASSÉ ENSANGLANTÉ QUE LA FAMILLE MIKAGE PORTE SUR LE DOS
S'EFFACERA SÛREMENT… LORSQUE CÉRÈS AURA RETROUVÉ SON "MANA" …
PROTÈGE-NOUS, LE BÉBÉ ET MOI…
TOYA …
VERTIGE
!!
BOM
SLIP...
OH

... OUPS... PARDON ...
ZIIP...
BRR BRR
HEIN ?
BAT
PAR ICI CÉRÈS !!
BEURK
!?
QUOI !? ATTENDEZ, REGARDEZ-LA, ELLE ...

NE VOUS EN FAITES PAS, CELA VA PASSER !
QUOI ... !?
... JE VOIS... CELA S'EST DONC REPRODUIT ...
C'EST LA 29E VICTIME, IL NE NOUS RESTE PLUS GUÈRE DE "DESCENDANTES" QUI NE SOIENT PAS TOUCHÉES ...
"NOTRE DESCENDANCE SE MEURT... IL NE NOUS EN RESTE PRESQUE PLUS..."
"NOUS AVONS, NOUS AUSSI, PROCÉDÉ DE LA MÊME MANIÈRE AUTREFOIS"

CHEF ! LA RÉUNION AVEC LES MEMBRES DE L'ASSOCIATION "RAGNARECK - LA DÉCADENCE DIVINE"
VA COMMENCER
IL PARAÎT QU'UNE "DESCENDANTE" AURAIT ENCORE PÉRI MIKAGÉ JR ?
POURRIEZ-VOUS NOUS CONFIRMER LA BONNE ÉVOLUTION DU PROJET C ?!
LE BUT DE NOTRE ASSOCIATION EST DE DONNER NAISSANCE À UNE HUMANITÉ CAPABLE D'ASSURER UN BEL AVENIR…

LE "PROJET C" FAIT PARTIE DE L'UN DE SES NOMBREUX PROJETS…
LES MEMBRES DE "LA DÉCADENCE DIVINE" VOUS ONT DÉJÀ VERSÉ UNE SOMME CONSIDÉRABLE…
JR… VOUS ÊTES L'HOMME QUI A PU SE SERVIR DE SON "PAYS" AFIN DE MENER À BIEN LES EXPÉRIENCES, NOUS COMPTONS SUR VOUS…
SI VOUS RÉUSSISSEZ, ALORS NOUS LANCERONS CE PROJET DANS LE MONDE ENTIER… LE POUVOIR DES "NYMPHES" NOUS SERA D'UNE GRANDE UTILITÉ…
NOUS ATTENDONS TOUT PARTICULIÈREMENT L'ACHÈVEMENT DE LA ROBE DE PLUMES… NOUS SOMMES TRÈS IMPATIENTS !

... ILS SONT CONSCIENTS DE L'IMPORTANCE DU PROJET C !
MIKAGÉ N'AURA JAMAIS ASSEZ DE POIDS POUR MENER À BIEN CE PROJET SEUL...
VOUS ENTENDEZ ÇA... ? POUR QUI SE PRENNENT-ILS POUR TENIR CE GENRE DE DISCOURS... ?!
DE TOUTE FAÇON, CES TYPES NE SE SOUCIENT DE RIEN !
ILS NE PEUVENT MÊME PAS S'IMAGINER QU'IL EXISTE DES ENFANTS COMME MOI QUI... ONT ÉTÉ RECUEILLIS AU CŒUR D'UNE GUÉRILLA OÙ ILS ONT APPRIS À TUER !!!
PRIVÉS DE LEUR FAMILLE ET NE POUVANT PLUS ALLER À L'ÉCOLE...
CE PROJET N'A-T-IL PAS ÉTÉ CRÉÉ POUR PROTÉGER LES ENFANTS D'UNE TELLE SOUFFRANCE !?

SHRIII...
SSSTJ

SA FEMME DÉFUNTE ÉTAIT MALADE ET RYURIK SOUHAITE PLUS QUE TOUT QUE L'ÊTRE HUMAIN DEVIENNE PLUS FORT...
QUANT À WEÏ, IL VEUT FONDER UN MONDE OÙ LES ÊTRES SERAIENT ÉGAUX, SANS INJUSTICE !
ET VOUS CHEF, VOUS M'AVEZ AIDÉ POUR QUE MA VIE SOIT MEILLEURE ! CE PROJET NE DOIT PAS ÉCHOUER... !!
RYURIK, OÙ EN EST-ON AVEC LA ROBE DE PLUMES ?!
ELLE EST PRESQUE AU POINT MAIS LOIN D'ÊTRE "PARFAITE" ...

... UNE CHANSON
!
J'ESPÈRE QUE LA FILLE DE TOUT À L'HEURE VA BIEN...
CES TEMPS-CI, JE ME TROUVE BIEN FATIGUÉE... JE ME DEMANDE SI C'EST À CAUSE DE MA GROSSESSE ...

GATAM
UNE CHANSON !?
CETTE VOIX ...
VERTIGE...
C'EST SHURO TSUKASA... OÙ EST-ELLE ?
ON DIRAIT BIEN QU'EL-LE FAIT APPEL À SON POU-VOIR !!
... ELLE PERD SON TEMPS, CHERCHEZ-LA !!!
!

SHURO TSUKASA DEMANDE À VOUS VOIR !
... RIEN À FAIRE, MON POUVOIR N'A AUCUN EFFET !
STOP
CHEF !
C'EST TERMINÉ...
TAP

TU ES VENUE DÉLIVRER AYA, SEULE ?
C'EST FORT DOMMAGE POUR TOI MAIS NOTRE ÉTABLISSEMENT EST PROTÉGÉ, TE RENDS-TU COMPTE QUE ...
TON POUVOIR EST INEFFICACE ICI ?
C'EST DONC VOUS LE COUSIN DE AYA... LE RESPONSABLE DU PROJET C ?
JE NE VEUX PAS VOUS DÉCEVOIR MAIS JE NE SUIS PAS VENUE DÉLIVRER AYA, PAR CONTRE, JE VOULAIS VOUS MONTRER DE QUOI JE SUIS CAPABLE...
TOUT COMME AYA, JE SUIS VENUE DANS L'INTENTION D'ÊTRE PRISE EN CHARGE PAR VOUS
DE TOUTE MANIÈRE, JE SUIS LASSE DE ME FAIRE PASSER POUR UN HOMME, J'AI ATTEINT MES LIMITES ET PUIS... JE NE SUIS PLUS UN ÊTRE HUMAIN COMME LES AUTRES !

… TU Y CONSENTIRAIS VRAIMENT ?
OUI, MAIS PAS DANS L'IMMÉDIAT, APRÈS MON CONCERT …
JE DOIS TOUT D'ABORD ANNONCER MA DÉMISSION… QUE LES CHOSES SOIENT FAITES EN BONNE ET DUE FORME !
… JE VOIS… JE RECONNAIS QUE TU POSSÈDES UN POUVOIR EXTRÊMEMENT PUISSANT…
AUCUNE VOIX N'AVAIT JAMAIS FRANCHI LES MURS D'ISOLATION …
… TIENS, ON N'ENTEND PLUS RIEN…
DING

... AYA !
SHU ...
SHURO !?
J'EN ÉTAIS SÛRE... ! MAIS COMMENT !?
J'AI DEMANDÉ À KAGAMI SI JE POUVAIS VENIR TE VOIR ET... IL M'A ACCORDÉ DIX MINUTES !

OH
UN BOUCLIER !
ILS ONT TENU À CE QUE JE LE PORTE, LA CONFIANCE RÈGNE !
JE SUIS CONTENTE DE TE VOIR… ILS S'INQUIÈTENT TOUS POUR TOI, TU SAIS…
J'ESPÈRE QUE TU ME PARDONNERAS MAIS JE TENAIS À EN SAVOIR PLUS SUR LA "ROBE DE PL…"
SST
PSS
… ON DOIT SÛREMENT NOUS ÉCOUTER
JE SUIS VENUE T'ANNONCER QUE J'ALLAIS BIENTÔT VENIR TE REJOINDRE !
QUOI !?

POURQUOI !?
APRÈS LE CONCERT QUI AURA LIEU DANS DEUX JOURS, JE DONNERAI MA DÉMISSION ...
JE VEUX REDEVENIR UNE FEMME ET QUAND JE PENSE QUE TOUT AU LONG DE MA CARRIÈRE J'AI INCARNÉ UN "HOMME"... JE ME DIS QUE C'EST PEUT-ÊTRE LE MOMENT PROPICE D'Y METTRE UN TERME...
NE VIENS SURTOUT PAS ICI... EN PLUS, TU DOIS PENSER À KEI !
TU SAIS... JE ME METS À TA PLACE ET JE SAIS QUEL SENTIMENT ON ÉPROUVE QUAND ON PERD UN ÊTRE CHER...
C'EST MON DERNIER CONCERT, IL SERA DIFFUSÉ EN DIRECT PAR SATELLITE ET J'ESPÈRE QUE TU NE LOUPERAS PAS L'ÉMISSION ! JE PENSE QUE LE "CHEF" T'ACCORDERA CETTE FAVEUR !
SST
REGARDE ! KEI PORTAIT CETTE BAGUE QUAND IL EST MORT ...

REGARDE BIEN... C'EST COMME POUR KEI NON ? ...
HEIN ...?
UNE RÉACTION AU MÉDICAMENT "VECTEUR" !?
... VOILÀ ...

... JE VOULAIS QUE TU LE SACHES ...
SOURIRE...
... C'EST PAS VRAI... C'EST PAS VRAI... !!
SHURO... !! C'EST PAS... POSSIBLE !?!
HAH
MAIS ALORS... LA FILLE DE TOUT À L'HEURE AUSSI !?
T'EN FAIS PAS POUR MOI ! JE ME SUIS TOUJOURS DÉMENÉE DANS TOUT CE QUE J'AI ENTREPRIS... ET JE PENSE QUE KEI ME COMPRENDRA ...
... NON ...
JE NE VEUX PAS ... !!
POUR-QUOI...?

…
CE PARFUM… C'EST CELUI QUE JE T'AVAIS OFFERT ?
NON
…OUI… C'ÉTAIT POUR MES 17 ANS …
JE M'EN METS TOUJOURS… ÇA ME DONNE LA PÊCHE… COMME SI TU ÉTAIS LÀ POUR M'ENCOURAGER …
TOUTE SEULE, J'AI PEUR DE NE PAS Y ARRIVER MAIS… POURQUOI… TOUT LE MONDE ME QUITTE …?!
NE T'INQUIÈTE PAS

ON SERA TOUJOURS LÀ AVEC TOI
CHIDORI, TOYA ET MOI... !
LES DIX MINUTES SONT ÉCOULÉES, VEUILLEZ SORTIR !
SST
BON, EH BIEN, À BIENTÔT AYA ! PROMETS-MOI DE NE PAS LOUPER MON CONCERT !!
SHURO
ATTENDS-TOI À UN MIRACLE !!
HEIN ... ?!

UN "MIRACLE" ... ?
SHURO !?
SHURO ATTENDS !!
SHURO ... !?
PFF
... TU VAS VOIR, AYA !

OKYO DOME
OUR'99
... OUAOUH, QUELLE FOULE !!
DEPUIS LA MORT DE MONSIEUR KEI, Mlle SHURO S'EST VRAIMENT DÉMENÉE, C'EST NORMAL !!

LES BLA-BLAS DE YUU WATASE

Je pense vous donner quelques explications concernant "Ayashi no Ceres" dans le dernier volume car l'autre jour j'ai reçu une lettre où l'on me disait : "Ce que j'apprécie dans votre histoire c'est que vous mettez bien en évidence le bon et le mauvais côté de l'être humain". En fait, je ne décris pas vraiment le mal quand je dessine les mauvaises personnes et c'est ce qui donne une touche de réalité... "Je vois que vous avez le sens de la compréhension !!" (rires). Eh oui ! Jamais je n'ai songé à faire ressortir le mal dans cette histoire. Cependant, vous devez évidemment penser le contraire en voyant le comportement du fondateur ou bien l'insensibilité de Kagami, "Ces deux-là sont des méchants !!", me diriez-vous. Mais je n'ai fait que valoriser "la faiblesse et le côté pitoyable de l'être humain" et non le mal. Pour bien comprendre et en avoir le cœur net il faudrait mettre en scène "la justice et le mal"... certes... mais l'envie me manquait. J'ai suivi le cours de mon objectif, "Aya" et "Kagami" ne sont pas des ennemis, et selon mon plan "ce sont deux êtres complètement différents, agissant de manières différentes", en fait, je voulais mettre en évidence "l'antagonisme" de leur relation. À chacun son excuse, ce qu'ils veulent c'est la "robe de plumes" et la "naissance d'un enfant"... je ne pourrais pas vous donner plus de détails mais essayez seulement de capter leurs sentiments les plus profonds... pas facile, je l'avoue (rires). À vrai dire, l'enfant que porte Aya, celui de Toya, a une réelle signification (rires). Mmmm... je suis sûre que mon plan, tel qu'il est à l'heure actuelle, serait du charabia pour vous... c'est dur d'être inexpérimentée. En continuant ainsi vous n'allez pas comprendre ce que je veux vous transmettre. Bref, je vais essayer de tenir le coup jusqu'à la fin tout en me demandant si vous allez pouvoir suivre la démarche de l'histoire sans vous égarer. Ne me laissez pas tomber.

T'AS DU POT D'ÊTRE REVENUE ENTIÈRE !... ET TU AS VU AYA ?
KAGAMI NE M'A ACCORDÉ QUE DIX MINUTES... JE N'AI RIEN PU FAIRE POUR LA RAMENER ...
J'AI UN SERVICE À VOUS DEMANDER, MADAME SUZUMI
DÈS QUE MON CONCERT SERA TERMINÉ ...
POURRIEZ-VOUS ENVOYER DU SECOURS À AYA SANS ATTENDRE ?
JE VOUS EN CONJURE !
... !? OUI, MAIS ...
HEIN !?
MOI, J'IRAI !!
BLAT

JE N'AI PAS L'INTENTION DE RESTER LES BRAS CROISÉS À ATTENDRE QUE ÇA SE PASSE !
JE SUIS VOLONTAIRE, MOI AUSSI !!
TOI, OCCUPE-TOI DE TON CONCERT ! JE SUIS SÛR QUE KEI TE REGARDE DE LÀ-HAUT !
TU SORS D'OÙ, COMME ÇA ?
J'AI TOU-JOURS ÉTÉ LÀ, GRRRRR !!!
YUHI... MERCI
... JE ME DEMANDE CE QUI LUI TROTTE DANS LA TÊTE ...
ET TOI CHIDORI, TU LE SAIS ... ?

KEI...
PLUS QUE QUELQUES MINUTES ET
CE SERA... MON DERNIER CONCERT... DONNE-MOI LA FORCE ...
SHURO
... C'EST TOI CHIDORI ?

JAMAIS TU NE TIENDRAS LE COUP...
... POURQUOI FAIS-TU ÇA ?
... AGIR POUR LES AMIS... QUI ME SONT CHERS ...
C'EST AINSI QUE J'AI DÉCIDÉ DE MENER MON DESTIN... ET POUR AYA... POUR AYA AUSSI ...
... OUI MAIS CE SERA LE PLUS BEAU JOUR DE MA VIE ...
... C'EST BON, J'AI COMPRIS !!
JE SERAI LÀ POUR T'EN-COURAGER !!

TOC TOC
SHURO
HAH
C'EST L'HEURE !?
TAP
TAP
TAP
TAP

JE ME SENS LOURDE... J'AI DE LA FIÈVRE... ?
"NE LOUPE PAS MON CONCERT !"
SHURO PORTAIT DES MARQUES DE RÉACTION AU MÉDICAMENT "VECTEUR"...
ET ELLE N'EST PAS LA SEULE ... ?
C'EST PAS POS-SIBLE... ELLES VONT TOUTES... MOURIR... ?
!
TRÈS AFFAIBLIE...

PSST
... BONJOUR AYA
COMMENT TE SENS-TU ? TU N'AS PAS L'AIR BIEN ...

LE CONCERT DE SHURO VA BIENTÔT COM-MENCER... SON NOM DE NYMPHE EST "JUNON" ...
JE TE DONNE LA PERMIS-SION DE LE REGARDER !
C'EST VRAI !?

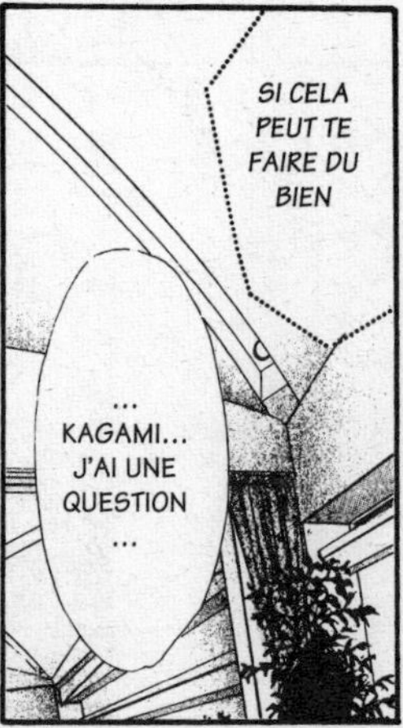
SI CELA PEUT TE FAIRE DU BIEN
... KAGAMI... J'AI UNE QUESTION ...

DIS-MOI COMBIEN DE "PORTEUSES DU GÉNOME C"... SONT MORTES DEPUIS MON ARRIVÉE ICI ?

CE N'EST QU'UNE SUPPOSITION MAIS…
EST-CE QU'IL N'Y AURAIT PAS UN EFFET DE REJET QUI SE MANIFESTERAIT …?

JE N'ÉPROUVE PAS LE BESOIN DE RÉPONDRE À TA QUESTION !
BON, JE VAIS TE LAISSER ET TE TRANSMETTRE L'ÉMISSION… PASSE UN BON MOMENT !!
ATTENDS, ET LA ROBE DE PLUMES …
SST
BONG
MM…
… VONT-ELLES TOUTES Y PASSER …?
ET LEURS ENFANTS ALORS… ?!

CHEF !
ON VOUS DEMANDE DANS LA SALLE DES EXPÉRIENCES !
HAH
... ILS ONT RÉUSSI ?
TAP
TAP
... JE VOIS ...
VEUILLEZ ENTRER ...
C'EST DONC ÇA... LA "ROBE DE PLUMES" ?

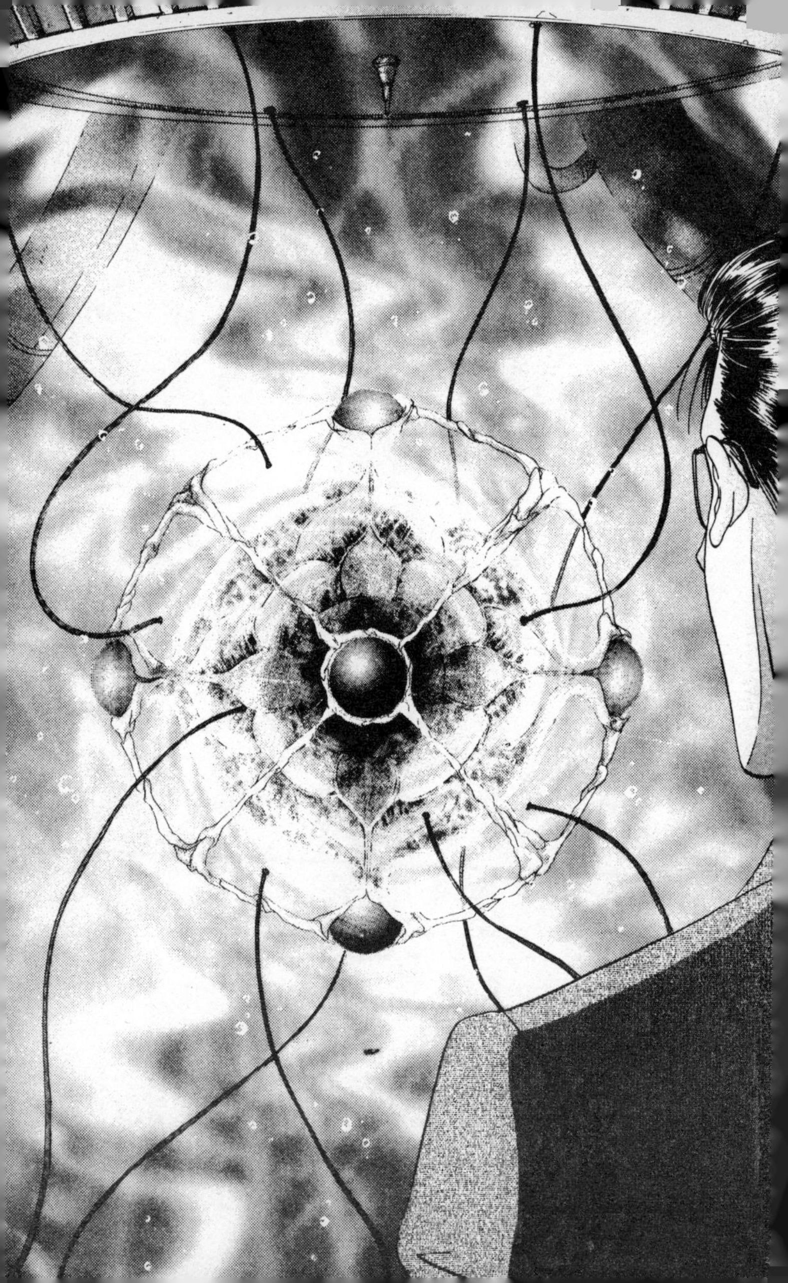

KYAAH...

SA CHANSON ...
RÉSONNE JUSQUE DANS MON CŒUR
GNN
ELLE ME DIT "ALLEZ, FONCE !"
"NE TE LAISSE PAS ABATTRE !"

CE DOIT ÊTRE DUR POUR SHURO ...
COURAGE... COURAGE !!
TOUS AVEC MOI...
DONNEZ-MOI VOTRE "ÉNERGIE" !!
UN PAS INSTABLE
...ALLEZ !!

DONNEZ-MOI VOTRE "FORCE" ... !!
TU ES FORMIDABLE SHURO ... !
IMPRESSIONNANT

EUH ...
... JE PENSE QUE CE JOUR RES-TERA GRAVÉ À JAMAIS DANS MA MÉMOIRE ...
JE RESSENS UNE EXTRÊME TENSION DANS LA SALLE GRÂCE À L'ÉNERGIE QUE VOUS ET MOI AVONS DÉGAGÉE ...

GRÂCE À VOUS... JE VAIS POUVOIR VOUS CHANTER UNE DERNIÈRE FOIS, UNE SUPERBE CHANSON ...

...MAIS AVANT TOUT... JE DOIS VOUS DEMANDER PARDON... OUI

... JE... EN FAIT, SHURO TSUKASA EST ...

OUAH
BLA
BLA
EN RÉALITÉ, UNE FEMME !
... JE NE ME PERMET-TRAIS PAS DE VOUS MENTIR PLUS LONG-TEMPS !
BLA
ET J'ESPÈRE QUE VOUS ME PARDONNEREZ DE VOUS AVOIR BERNÉ... PENDANT LA LONGUE CAR-RIÈRE DES "GESANG" ...
BLA
TOKYO DOME
... JE PEUX SAVOIR POURQUOI TU ES SURPRIS ?
J'AVOUE QUE JE LE VIVAIS TRÈS MAL MAIS... JE NE VOULAIS PAS BRISER LE RÊVE DE MON PARTE-NAIRE DÉFUNT, KEI... ALORS JE ME SUIS FAIT PASSER POUR UN "HOMME" ...
... PARCE QUE JE L'AI-MAIS... PARCE QUE... JE VOULAIS ÊTRE À SES CÔTÉS !!

PARDON-
NEZ-MOI... JE VOUS EN PRIE ...
ET... MERCI DE VOTRE SOUTIEN !!
SILENCE ABSORBANT...
SHUROOO
UNE CHANSON
HAH
WAAAH...

... OH ...
... MERCI ... !!
EH BIEN... JE VOUS ACCORDE UNE DERNIÈRE CHANSON ! VOUS ALLEZ TOUS LA CHANTER AVEC MOI !!
ZAAH...
CE SERA POUR VOUS UNE CHAN-SON DES "GESANG"... UNE BALADE COMPOSÉE PAR KEI ...
HAH
QUOI !?

ELLE
S'EST
TRANSFOR-
MÉE
!!...

CLAC
CLAC
CLAC
CLAC
CLAC
CLAC
CLAC
CLAC
CLAC
CLAC
CLAC

SEIKO
SHURO !?
VOICI LE JOURNAL DE 21 HEURES ...
PLAF
SHRAH

CETTE ... CHANSON ...?!
VRRRR...
C'EST SON POUVOIR ?!!!
AMENEZ LA "ROBE DE PLUMES" ET LES "ENFANTS" AUX ABRIS !!

"AYA"
"JE VAIS TE RENDRE TA LIBERTÉ"
PSHIT
SHURO... ARRÊÊÊÊÊTE !!!
TON CORPS NE LE SUPPORTERA PAS...!!!

"ATTENDS-TOI À UN MIRACLE !"
TA VIE EST EN DANGER
SHUROOOOOOO
DZZZT...
... KEI ...
SST...

... KEI ... !
VRRRR...
IMPOSSIBLE, L'ORDINATEUR NE RÉPOND PLUS... L'IMAGE NE VEUT PAS DISPARAÎTRE !!
C'EST UNE FORCE 10000 FOIS PLUS ÉLEVÉE QUE TOUTES LES FORCES RÉUNIES DANS LE BOUCLIER ...!!
COUPEZ LA DIFFUSION !! ÉTEIGNEZ LES MONITEURS !!
SPLOM

!!
CLASH
OH, LE BOUCLIER ... !!
SHURO ...
NE TIENT PLUS DEBOUT...
SBOM...
TU VOIS ? ...
HAH...
UN VRAI "MIRACLE" N'EST-CE PAS ?

VAS-Y EN TOUTE INSOUCIANCE..., VA RÉCUPÉRER CE QUI T'EST SI PRÉCIEUX !
MERCI ... !!
CROQUE LA VIE À PLEINE DENTS ! AYA... TU VIVRAS POUR NOUS !!
... SHU ...
... FONDATEUR, AVEZ-VOUS TENU LE CHOC... ?!
FUH...

... NON... EN FAIT JE... EUH...
J'AI SUBITEMENT LES IDÉES PLUS CLAIRES... À QUI APPARTENAIT ...
SILENCE
... JOLI TRAVAIL... SHURO TSUKASA ...
SHH...
... CETTE VOIX... !?
AYA ... !?
QUI AURAIT SONGÉ QUE LE BOUCLIER SE BRISERAIT ?

TU ES UNE FORMI-DABLE ARTISTE... JE LE RECONNAIS ...
AVANCE TANT BIEN QUE MAL
"AFIN DE NE PAS LAIS-SER TON DESTIN PRENDRE LE DESSUS"
"TU DOIS T'ACCROCHER À LA VIE... AYA !"

À LA DEMANDE GÉNÉRALE, VOICI... LE DICTIONNAIRE POUR LES MANIAQUES DE "AYASHI NO CERES" ③ (ET SANS DOUTE LE DERNIER !!)

GARDINAL : C'EST LE NOM QUE L'ON A DONNÉ AUX ÊTRES HUMAINS QUI ONT ÉTÉ RÉUNIS POUR ASSURER LA BONNE ÉVOLUTION DU PROJET C. CE TERME A ÉTÉ FORMÉ À PARTIR DES MOTS GUARD (GARDIEN) ET NATIONAL ... ENFIN, JE PENSE. CES HOMMES ET CES FEMMES ONT ÉTÉ ÉLUS SELON LE CRITÈRE DE LA PERFECTION (SUR LE PLAN PHYSIQUE, LUCIDITÉ D'ESPRIT ET CAPACITÉ INTELLECTUELLE) ET SEULEMENT CINQ D'ENTRE EUX SERONT LES ÉLÉMENTS REPRÉSENTATIFS POUR LA MISE EN ŒUVRE DU PROJET. CES ÊTRES PARCOURENT LE MONDE À LA RECHERCHE DE PORTEURS DU GÉNOME C.

L'UNIFORME : LA TENUE QUE PORTAIENT TOYA, WEÏ ET ASSAM, A ÉTÉ RÉALISÉE SPÉCIALEMENT POUR EUX, LE STYLE EST D'AILLEURS TRÈS PARTICULIER. D'APRÈS LA RUMEUR, C'EST ALEX QUI EN AURAIT ÉTÉ LE CRÉATEUR. LE TEXTILE UTILISÉ A ÉTÉ ÉTUDIÉ POUR RÉSISTER AUX COUPS ET IL EST EXTRÊMEMENT SOLIDE.

PALLAS : NOM DE NYMPHE ATTRIBUÉ À CHIDORI. LA PETITE PLANÈTE "CÉRÈS" A ÉTÉ DÉCOUVERTE EN PREMIER, VIENT ENSUITE " PALLAS ". CELLES QUI LEUR SUCCÈDENT SONT SHURO (JUNON), EN TROISIÈME, "VESTA", "ASTRÉE", "HELBÉ", "IRIS"... IL DEVAIT EXISTER DES GÉNOMES C NOMMÉS AINSI (LES NOMS QUI ONT ÉTÉ CHOISIS N'ONT PAS FORCÉMENT ÉTÉ ATTRIBUÉS AUX NYMPHES SELON L'ORDRE DE LEUR APPARITION OU LA PUISSANCE DE LEUR POUVOIR). LES NYMPHES VENANT D'UNE MÊME DESCENDANCE OU CONSIDÉRÉES DE MÊME TYPE SONT CLASSÉES DANS DIFFÉRENTES CATÉGORIES "TYPE A B C ..."

"RAGNARECK - LA DÉCADENCE DIVINE" : C'EST UNE ASSOCIATION NON POLITIQUE DONT LA FAMILLE MIKAGÉ EST MEMBRE. ELLE RASSEMBLE DES HOMMES PUISSANTS QUI N'AGISSENT QUE DANS L'OMBRE (EN D'AUTRES TERMES, UN PETIT COMITÉ DE FORTUNÉS). ILS INVESTISSENT DANS DE NOMBREUSES EXPÉRIENCES ET SONT LES MÉCÈNES DU PROJET C. C'EST LE CHEF DU GROUPE QUI A DONNÉ LE NOM À L'ASSOCIATION. LA SIGNIFICATION VIENDRAIT DU TERME "ARMAGEDDON", TIRÉ DE LA BIBLE. CES GENS-LÀ N'ONT QUE FAIRE DE LEUR JOURNÉE ET L'ON POURRAIT DIRE QU'ILS N'AGISSENT QUE DANS LES COULISSES. CETTE ASSOCIATION N'A QU'UN RÔLE SECONDAIRE.

NA : UN OBJET INDISPENSABLE AUX NYMPHES (OU AUX DÉESSES) APPARAISSANT SOUS DES FORMES VARIÉES SELON LEUR PROVENANCE : ROBE DE PLUMES, VÊTEMENT BLANC, FOURRURE, OBI (CEINTURE DE KIMONO), ORNEMENT POUR LA COIFFURE...LES NYMPHES NE PEUVENT DESCENDRE SUR TERRE (OU RENTRER DANS LES CIEUX) SANS CES OBJETS. J'AI ENTENDU PARLER D'UN ALIMENT PORTANT LE NOM DE "MANA", DANS LE CHRISTIANISME, QUI SERAIT TOMBÉ DU CIEL. MAIS, CELA N'A AUCUN RAPPORT.

VEUILLEZ VOUS HABILLER
OYEUX NOËL CÉRÈS, JE M'OFFRE À TOI
SNIF SNIF

CADEAU... UN FONDATEUR RÉALISÉ PAR MON ASSISTANTE, FAN DE AKI ? EN COMPAGNIE DE WEÏ. L'IDÉE LUI VIENT DU VOLUME 5 OÙ IL APPARAÎT NU

REGARDEZ LES DERNIÈRES SÉQUENCES DE CE VOLUME

APRÈS AVOIR PRIS CONNAISSANCE DU DÉPART À TANGO... IL Y EN A PLEIN D'AUTRES COMME ÇA...

①
DIRE QUE L'ÉCOLE COMMENCE DEMAIN !!
LE PATRON A DISPARU !
CÉRÈS
CÉRÈS
ON VA BIENTÔT SE VOIR, PATIENCE...

BONG
BONG
IL PARAÎT QU'IL S'EN VEUT...

ON NE SAURAIT EXPLIQUER LE SENS DE CETTE FLEUR QU'IL PORTE

JE DOIS ME DÉPÊCHER !
SHURO A RISQUÉ SA VIE POUR MA LIBERTÉ !
JE REPRENDRAI LA ROBE DE PLUMES
FAITES-MOI CONFIANCE !!

OUPS
NE BOUGE PLUS CÉRÈS !!

BLANG
BLANG
OH NON... MON POUVOIR EST TROP AFFAIBLI ...
JE NE PEUX MÊME PLUS M'ENVOLER ...
VITE, JE DOIS ME METTRE EN SYMBIOSE AVEC MON MANA ... !!
TAP
TAP
AVEZ-VOUS MESURÉ LES DÉGÂTS !?
L'ORDINATEUR CENTRAL ET TOUS LES SYSTÈMES ONT ÉTÉ DÉTRUITS !

ON NE PEUT PLUS RIEN RÉCUPÉRER !
COMMENT VONT LES "DESCENDANTES" ?
NOUS LES AVONS RASSEMBLÉES DANS LE HALL CENTRAL MAIS ...
BEAUCOUP D'ENTRE ELLES NE SE SENTENT PAS BIEN !
CHEF ! LE MATÉRIEL EST IRRÉCUPÉRABLE ...
FAITES EN SORTE DE NE PAS LAISSER AYA... CÉRÈS, SORTIR !!
CHEF !!

...DÉSOLÉ DE VOUS AVOIR FAIT ATTENDRE !
NOUS VOUS PRIONS DE BIEN VOULOIR NOUS EXCUSER EN DE TELLES CIRCONSTANCES, MIKAGÉ JR...
NOUS AVONS PRIS CONNAISSANCE DES FAITS !
... JE VOIS QUE LES NOUVELLES VONT VITE...
CETTE SITUATION COMPLIQUE QUELQUE PEU LA POURSUITE DES EXPÉRIENCES
... NOUS NOUS CHARGEONS DE PRENDRE LE RELAIS !

VOTRE RÔLE PREND FIN
À CET INSTANT MÊME !
CES FILLES SONT... LES MÈRES DE NOTRE AVENIR !! UNE NOUVELLE HUMANITÉ...!
BAM
PARDON... ?
N'INSISTEZ PAS !
LA ROBE DE PLUMES ET CÉRÈS... AINSI QUE TOUTES LES PORTEUSES DE GÉNÔME C QUI ONT SURVÉCU PASSERONT DÉSORMAIS ENTRE NOS MAINS...
MÊME SI LA VIE DE CES FILLES NE TIENT QUE PAR UN FIL, ON POURRA TOUJOURS S'EN SERVIR COMME ARME OU "ANIMAL DE COMPAGNIE" !

PERSONNE NE PARVIENDRA À CHANGER LA NATURE DE L'HOMME, MÊME EN Y LAISSANT UNE DESCENDANCE AUSSI BRILLANTE QU'ELLE SOIT ET QUANT À LA ROBE DE PLUMES...

APRÈS MÛRE RÉFLEXION, NOUS PENSONS QUE CETTE CHOSE POURRAIT CONTRIBUER À L'"IMMORTALITÉ" !
NOUS NE NOUS SOUCIONS GUÈRE DE L'AVENIR DE L'HUMANITÉ… OU DE LA TERRE, CELA NE NOUS INTÉRESSE PAS !
EN REVANCHE, IL SERAIT PRÉFÉRABLE DE POUVOIR SURVIVRE… MÊME SI NOUS QUITTONS LA TERRE POUR REJOINDRE UN AUTRE ENDROIT !
… VOUS VOUS TROMPEZ …
VOUS N'Y ÊTES PAS !! PAS DU TOUT !! LÀ NE SONT PAS MES INTENTIONS !!!!

NOUS NE NOUS SOMMES PAS JOINTS À VOUS POUR CONCRÉTISER VOTRE IDÉAL !!
GNN
...VOUS AVEZ BIEN COMPRIS, JR ? NOUS VIENDRONS CHERCHER LE TOUT DANS UN DÉLAI TRÈS BREF !
NOUS RAMÈNERONS CHEZ NOUS LE PERSONNEL QUE NOUS VOUS AVONS ENVOYÉ !
N'ESSAYEZ PAS DE NOUS METTRE DES BÂTONS DANS LES ROUES... JE NE VOUDRAIS PAS QUE L'ON SE FÂCHE ET J'ESPÈRE QUE NOUS CONTINUERONS À NOUS CÔTOYER EN TANT QUE MEMBRES DE LA "DÉCADENCE DIVINE" !!
...À BIENTÔT !

...
LES SALAUDS...
DEPUIS LE DÉBUT... ILS
NE VOULAIENT PAS
...
CHEF... !

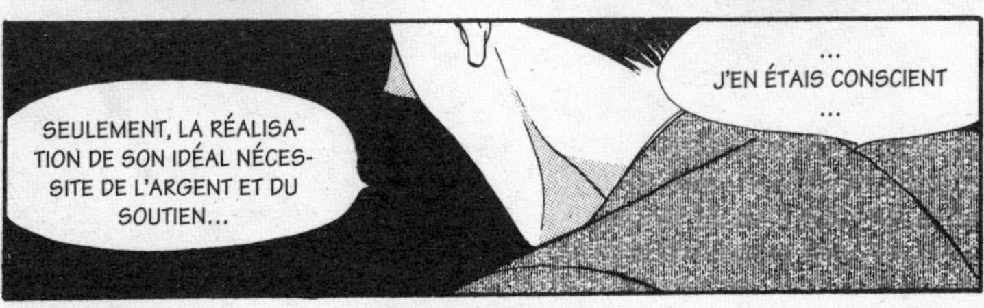
...
J'EN ÉTAIS CONSCIENT
...
SEULEMENT, LA RÉALISA-
TION DE SON IDÉAL NÉCES-
SITE DE L'ARGENT ET DU
SOUTIEN...

... MAIS JE N'AI
PAS ÉTÉ ASSEZ
MÉFIANT !!
JE SUIS CONTRAINT
D'ACCEPTER LA FATALITÉ
D'UN TEL PROJET QUI A
SUSCITÉ DE CONSIDÉ-
RABLES SACRIFICES...
...
CHEF !
...VOUS N'ALLEZ
TOUT DE MÊME
PAS !!?

JE VOUS REMERCIE POUR L'AIDE QUE VOUS M'AVEZ APPORTÉE...
JE PENSE ME TOURNER VERS UN NOUVEAU PROJET QUE L'ASSOCIATION ME CONFIERA... VOUS ÊTES LIBRES DE CHOISIR SI VOUS VOULEZ REPARTIR OU NON !
...VOUS VOULEZ DIRE QUE... C'EST TERMINÉ... !?
...ET LES "GARDINAL" ?!... ET LE PROJET C !?
...VOUS... PLAISANTEZ ?

VOUS ÊTES SÛR DE VOULOIR Y RENONCER !? SI FACILEMENT QUE ÇA !?
ASSAM !
JE PENSAIS QUE VOUS VOULIEZ RÉFORMER CE MONDE !! VOTRE OBJECTIF ÉTAIT PRESQUE ATTEINT... !!!
HÉ HÉ ...
HÉ HÉ HÉ HÉ HÉ ...
ILS VEULENT LA ROBE DE PLUMES ... ?
ILS RÊVENT ... !!

BA T
MANA ... !!
SILENCE...
SHROT...
.... !!

LES BLA-BLAS DE YUU WATASE

Étant donné que j'ai bien rempli les pages du livre, il ne me reste plus grand-chose ! Il n'y a même plus de place pour la galerie d'images !! D'ailleurs, je ne comprends pas ceux qui réagissent ainsi puisqu'un art book va, paraît-il, bientôt sortir. Bien entendu, c'est un album réservé à "Ayashi no Ceres". Il sortira en mars prochain… c'est ça ? (rires). Vous en saurez plus dans le prochain volume. Me connaissant, je ne résisterai pas (ah ah). Le volume 5 du roman de "Fushigi" est sorti le 1er décembre. L'histoire qui y est relatée est ma préférée. Je trouve que c'est un bon mélodrame. Le prochain est prévu pour février… et ce sera certainement le dernier de la série. "Ayashi no Ceres" sortira aussi sous forme de roman. Autre chose, au printemps prochain, en hors série de Flower comic, un "Deluxe" publiera en 3 volumes "Shishunki miman okotowari" (en 2000…). Il sortira en livre de poche où les 6 volumes seront réunis. Quant à la jaquette… elle sera manuscrite. Mmmm… dans la foulée le magazine avec la "série complète" sortira aussi…
…ça n'en finit plus… mais ce ne sont que des "prévisions" alors il risque d'y avoir quelques changements, soyez donc très vigilants pour vos achats. Je ne vois rien d'autre à vous annoncer et j'espère que vous vous contenterez de ce que je vous ai écrit (c'est quoi, ça, encore ?) ah ah ah… aaah, c'est la fin de la fin… Bon, eh bien, je vous dis à bientôt. Je vous laisse le soin de découvrir la fin de l'histoire ! Patience !!
…au fait, quelle tournure souhaitez-vous pour le prochain volume ? Quelle question, franchement ! (rires). À vous de prendre connaissance de "Ayashi no Ceres" dans le magazine !!
À bientôt, au mois de mars !!
Octobre 1999.

JE N'AI RIEN FAIT, MOI !!
MON NOM EST "HOWELL"... MAIS VOUS POUVEZ M'AP-PELER "ALEX" !
"HOWELL ... ?"
"TOYA M'AVAIT DÉJÀ PARLÉ DE LUI !! C'EST LUI QUI NOUS A SAUVÉS..."
OÙ EST LA ROBE DE PLUMES !? OÙ L'AVEZ-VOUS CACHÉE !?
BAH... EUH...EN FAIT, JE VIENS JUSTE DE SORTIR DE LA SALLE DE RÉFLEXION ET
JE PENSE QUE VOUS FERIEZ MIEUX DE VOUS CACHER !
GRAP

TCHAC

SLAM

BONG
CÉRÈS... ! SUIS-MOI SANS RIEN DIRE !
LA ROBE DE PLUMES NE SE TROUVE PAS ICI, TU EN AS BESOIN N'EST-CE PAS !?
KAGAMI ... !!

CHEF !! ÇA SUFFIT MAINTE-NANT !!

SLAP

ARRÊTEZ DONC UN ... PEU ?

BANG

ALEX, SI TU VEUX NOUS SUIVRE, NE TRAÎNE PAS...

J'AI EU PEUR !!!

KAGAMI... OÙ ALLONS-NOUS !?

BLAT

BLAT

!?

BLAT

CHEF !!

L'HÉLICOPTÈRE DE WEI ET AKI A-T-IL DÉCOLLÉ ?

AFFIRMATIF, RESTE LE PROBLÈME DES "DESCENDANTES" ...!!

"L'EXTÉ-RIEUR" EST SOUILLÉ …
DES MILLIERS D'IGNOBLES "HUMAINS" FOISON-NENT
NOUS NE VOULONS PAS VENIR …
NOUS NE VOULONS PAS SORTIR D'ICI …
INUTILE D'ESSAYER DE NOUS CONVAINCRE… NOUS RESTERONS SOURDES…
… NOUS NE QUITTE-RONS PAS CE LIEU !
ENTENDU ! MAIS SACHEZ QUE…
NOUS LE SAVONS… !

CHEF ! ATTENDEZ, JE PARS AVEC VOUS...!!
...NON ! ASSAM, SUIS RYURIK !

... JE REGRETTE... !! J'AI ÉTÉ ENVOYÉ PAR L'ASSOCIATION ET JE ME DOIS DE RENTRER !

NE SOUHAITAIS-TU PAS ALLER À L'ÉCOLE ? L'UNIVERSITÉ TE SERA OUVERTE !!
...TU N'AURAS PLUS BESOIN DE FAIRE FIGURE DE "MERCENAIRE"... !

ET TOI, ALEX... JE SOUHAITE QUE TU VIVES EN PAIX !... NOUS NOUS REVERRONS !
......!?

... QUOI ? LE LABORATOIRE A ÉTÉ DÉTRUIT ?
"DÈS QUE MON CONCERT SERA TERMINÉ, PARTEZ AU SECOURS DE AYA"
... SHURO ... !
...TU NOUS EN AS FICHU PLEIN LA VUE... SHURO... JE ME CHARGE DU RESTE... !
BLAT BLAT BLAT
C'EST QUOI CE BRUIT !?

OH NON
... YUHI !?
TCHAC
YUH IIIII !
.. CÉRÈS !?

CERES ...
MERDE, SUIVONS L'HÉLICO !!
IL NE FAUT PAS LES PERDRE DE VUE !!!!

"UN BATEAU... !?"
ZAZAAM...
... CECI REMPLACERA LE LABORATOIRE...
... ENTRE !
!!

MON MANA ... !!
"C'EST ÇA, LA ROBE DE PLUMES... !?"
JE L'AI ENFIN... RETROUVÉE ... !!

CRIC
JE N'AI PLUS... DE FORCE ... !
TANT QUE VOUS, LA ROBE DE PLUMES ET LES ŒUFS FÉCONDÉS SERONT EN MA POSSESSION... !
J'AI ROMPU AVEC L'ASSOCIATION QUI ÉTAIT MON MÉCÈNE... MAIS JE NE RENONCERAI PAS ENCORE AU PROJET C...
... MALHEUREUX... RIEN NE TE FERA CHANGER D'AVIS... ?!
...JE ME VOIS OBLIGÉE DE... VOUS RACONTER L'HISTOIRE DU "MANA" !

"MANA"... VOUS VOULEZ PARLER DE LA ROBE DE PLUMES !? QU'EST-CE QUE CELA PEUT BIEN REPRÉSENTER...?!
JE QUALIFIERAIS LE "MANA" COMME... UN ÉLÉMENT FAISANT PARTIE DE NOTRE CORPS !
NOUS SOMMES DES ÊTRES CONSIDÉRÉS COMME DES GRAINES FÉMININES... FAUTE DE POUVOIR ÉVOLUER TEL QUE L'ONT FAIT LES HUMAINS ...
NOUS... NOUS NE POUVIONS PAS ÉVOLUER COMME EUX... NOUS FAISIONS PARTIE DE L'ESPÈCE FEMELLE NOUS IGNORONS SI NOUS SOMMES NÉES DU "MANA" OU SI LE "MANA" A ÉTÉ CONÇU PAR NOUS......
C'EST BIEN TROP LOINTAIN POUR NOUS EN SOUVENIR MAIS TOUT REPOSE SUR LA NAISSANCE D'UNE DESCENDANCE ... !

NOUS AVONS SURVÉCU SUR DE LONGUES PÉRIODES TRAVERSANT MAINTES TRANSFORMATIONS... EN QUÊTE D'UNE PUISSANTE GRAINE...
EN REVANCHE... NOTRE CORPS NE PEUT SURVIVRE SANS LE "MANA"...
C'EST POUR CELA QUE LES NYMPHES NE PEUVENT ÊTRE PRIVÉES DE CET OBJET VITAL...
SHOUUUF...
POUR CERTAINES, LEURS JOURS SONT COMPTÉS... MAIS D'AUTRES AURONT CHANGÉ D'APPARENCE AU BOUT DE 10 ANS, GRAND MAXIMUM...

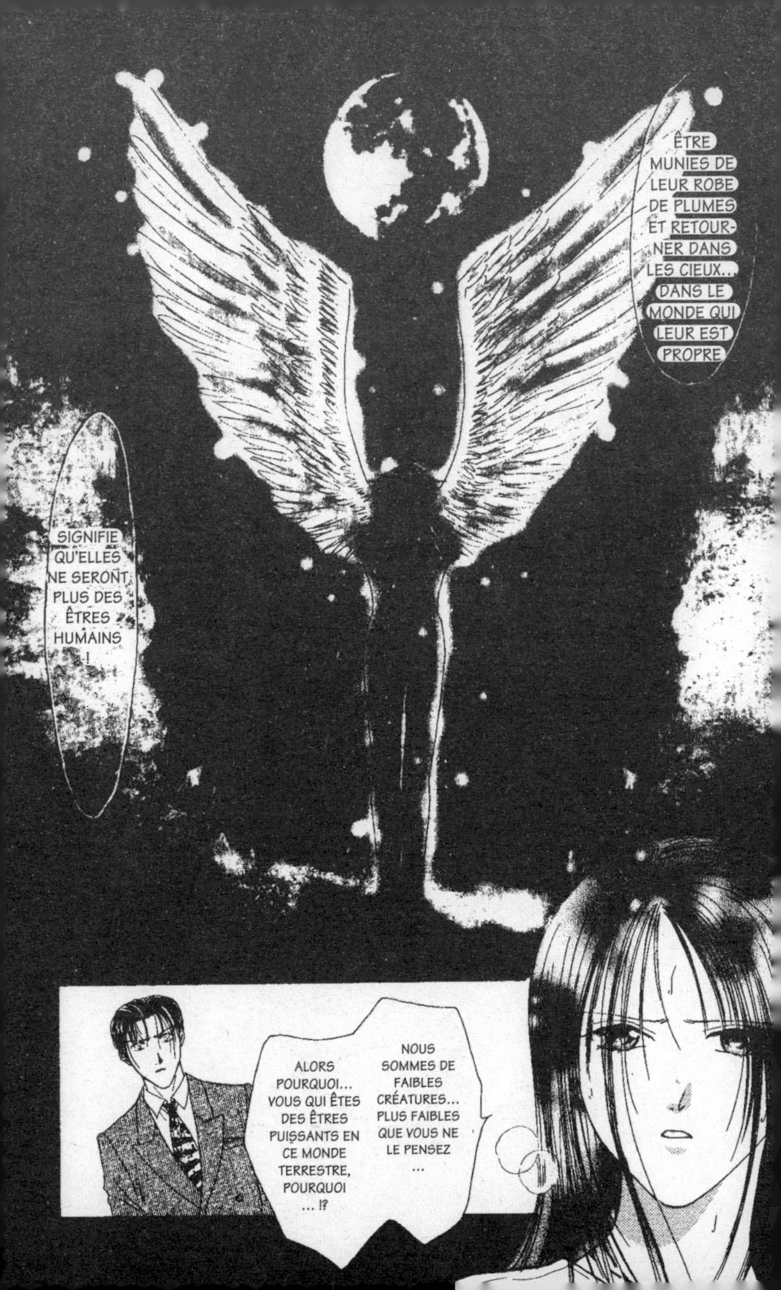
ÊTRE MUNIES DE LEUR ROBE DE PLUMES ET RETOURNER DANS LES CIEUX... DANS LE MONDE QUI LEUR EST PROPRE
SIGNIFIE QU'ELLES NE SERONT PLUS DES ÊTRES HUMAINS !
NOUS SOMMES DE FAIBLES CRÉATURES... PLUS FAIBLES QUE VOUS NE LE PENSEZ ...
ALORS POURQUOI... VOUS QUI ÊTES DES ÊTRES PUISSANTS EN CE MONDE TERRESTRE, POURQUOI ... !?

RENDS-MOI MON "MANA"
TU ES UN ENFANT DES MIKAGÉ... UN PAUVRE ENFANT ISSU DE MA DESCENDANCE ...
KAGAMI
J'AIMERAIS QUE TU ME COMPRENNES ...
JE NE PEUX PAS ME LE PERMETTRE ... !

JAMAIS JE NE VOUS LAISSERAI PARTIR... JE NE VOUS CÉDERAI À PERSONNE ...!
"ILS ONT RÉUSSI À... M'EM-BROUILLER"
"JE NE TIENDRAI PAS... LONG-TEMPS ?"
"EST-CE QUE ÇA ME CONCERNE VRAIMENT ?"

QU'EST-
CE QUE
C'EST
... !?

AYASHI NO CÉRÈS VOL.13 (FIN)

AYASHI NO SERESU ! Vol. 13

Original Japanese edition published in 1996 by Shogakukan Inc., Tokyo
French translation rights arranged with Shogakukan Inc. through Japan Foreign-Rights Centre

Édition française : © 2006, Tonkam
6, cité Paradis – 75010 Paris
Site internet : www.tonkam.com
E-mail : ecrivez-nous@tonkam.com

Traduction : Nathalie Martinez
Adaptation, lettrage et maquette : Éditions Tonkam

1re édition française : mai 2002
6e édition française : août 2006

Achevé d'imprimer en France en août 2006
sur les presses de l'imprimerie Darantiere à Quetigny (Côte-d'or)
Dépôt légal : août 2006 – 26-1314